# Sushi

### recettes santé

Conception graphique : Katia Senay

© Éditions Coup d'œil, 3e trimestre 2010

© Les Éditions Quebecor
Cet ouvrage est basé sur 1 ouvrage
précédemment publié chez Les Éditions Quebecor :
Otomo, Masaku. *Sushis : recettes santé,* 2001.

Imprimé en Chine

ISBN : 978-2-89638-639-0

Masaku Otoma

# Sushi
## recettes santé

Les Éditions

Coup d'œil

# Table des matières

# Introduction

Il y a environ 2500 ans, quelque part dans les montagnes du Laos et de la Thaïlande, une peuplade avait appris à conserver les poissons pêchés en saison, afin de s'en nourrir plus tard dans l'année. Pour ce faire, ils se servaient de récipients munis de couvercles à fermeture hermétique, dans lesquels ils alternaient des couches de poisson cru et des couches de riz mariné qu'ils laissaient ainsi fermenter pendant un an. C'est cette technique de conservation-fermentation que l'on nommait sushi. À cette époque, cependant, le riz était jeté et seul le poisson était consommé. Au fil des siècles, ces peuples montagnards découvrirent qu'en changeant un peu la méthode et les ingrédients de fermentation, ils pouvaient non seulement réduire celle-ci d'un an à quelques jours, mais qu'en outre le riz prenait un goût sucré délicieux. À partir de ce moment-là, ils ne jetèrent plus le riz.

Les choses restèrent ainsi jusqu'au début des années 1800, alors que les habitants d'Edo — alors capitale de la dynastie shogunale des Tokugawa, laquelle prit en 1860 le nom de Tokyo — cherchaient à retrouver le goût du sushi, cette saveur vinaigrée obtenue par la fermentation, mais sans avoir à attendre les longues périodes habituellement nécessaires. C'est alors qu'ils eurent l'idée d'ajouter du vinaigre au riz. Ils en furent ravis et le mets devint très populaire. Une quarantaine d'années plus tard, ayant alors pris sa forme définitive, la notoriété du sushi gagna la ville d'Osaka et, de là, à peu près toutes les contrées du monde.

L'appellation sushi, employée seule, fait donc référence d'une part au riz utilisé (sucré et vinaigré) et, d'autre part, au mets comme tel auquel on adjoint un qualificatif afin d'en déterminer la catégorie. En effet, de la naissance du nigiri-zushi[1] à nos jours, le riz sushi s'est vu non seulement offrir le mandat d'accompagner bien autre chose que du poisson cru, mais également la faveur d'être apprêté de bien d'autres manières.

Ainsi sont apparus les makis-zushis — futomaki et hosomaki —, les témakis, les chirashis-zushis et les gunkans-makis dont nous traitons dans ce livre, mais aussi bien d'autres variétés telles que les inaris-zushis (tofu frit fourré de riz sushi), les oshis-zushis (sushis pressés), les bou-zushis (sushis enveloppés), les temaris-zushis (petites boules de riz décorées), etc.

---

1     Le mot sushi s'écrit avec un «z» lorsqu'il vient en second dans un mot composé.

Alors, histoire de varier le menu, les Japonais ont associé, au poisson (tantôt cru, tantôt mariné, bouilli ou grillé) des légumes, des fruits, des racines et autres ingrédients, faisant se marier, avec une maîtrise d'artiste, les formes, les couleurs et les saveurs. Dans cet ouvrage, nous avons essayé de vous présenter un maximum de combinaisons d'aliments mais, bien entendu, le nombre de celles-ci est infini.

Il faut toutefois reconnaître que la confection des sushis n'est pas aussi simple que celle de la préparation de la majorité des hors-d'œuvre occidentaux, probablement parce que notre culture nippone foisonne de traditions et de rituels et que l'art culinaire, loin d'y échapper, y est presque sublimé. Avant de satisfaire et de ravir les papilles gustatives, les aliments préparés doivent d'abord combler d'aise la vue.

Dans la cuisine japonaise en général, et dans la confection des sushis en particulier, tout doit être empreint de délicatesse et de subtilité. La cuisine japonaise c'est, en quelque sorte, de la poésie qui se mange. D'ailleurs, dans la confection des sushis, toutes catégories confondues, tout est soigneusement (j'oserais presque dire pieusement!) étudié; saveurs, couleurs, textures et formes doivent créer un mets harmonieux où l'équilibre est maître.

Par ailleurs, vous remarquerez certainement que dans les recettes de cet ouvrage, les mots «fin, mince et petit» sont couramment utilisés; c'est que, lorsque l'on pense sushi, on doit penser miniature, subtilité, élégance et finesse. Ne perdez jamais de vue que rien n'est jamais ni gros ni abondant dans ce type de mets.

Le sushi est considéré, partout dans le monde, comme un mets sain, ce qui explique très certainement sa très grande popularité à une époque où les consommateurs, de façon générale, misent de plus en plus sur une alimentation qui saura les garder en bonne santé le plus longtemps possible.

Histoire de vous mettre dans l'ambiance, je ne saurais trop vous suggérer de faire quelques visites — et dégustations, bien entendu! — dans un bar à sushis et d'observer attentivement le chef (itamœ) pendant qu'il travaille. Et puis, ne manquez pas d'aller lanterner dans quelques épiceries asiatiques et/ou japonaises afin de vous familiariser avec les ingrédients de base, tels que le daïkon (radis), le wasabi (raifort japonais), la nori (algue séchée) ou le mirin (vin de riz).

De nombreux aliments entrent dans la confection des sushis ; les poissons et mollusques, bien entendu, mais aussi une variété inouïe de légumes et de fruits, des racines, des herbes, des graines et des pousses, des œufs (brouillés ou en omelette) ; des aliments crus, cuits, pochés, frits, grillés ou marinés, frais, surgelés, séchés ou en conserve, tantôt sucrés ou salés, tantôt vinaigrés ou aigres-doux. Cela dit, toutes les recettes contenues dans ce livre peuvent être adaptées selon vos goûts et les produits dont vous disposez. L'essentiel, rappelons-le, est de respecter l'équilibre des saveurs, des couleurs, des formes et des textures, tout en essayant, dans la mesure du possible, d'utiliser un maximum d'ingrédients de saison, tant au niveau des poissons et fruits de mer qu'au niveau des légumes et des fruits.

Précisons enfin que les bars à sushis du Japon, comme d'ailleurs un peu partout dans le monde, servent tous les types de sushis présentés dans ce livre à l'exclusion de ceux qui sont faits de jambon, rosbif, salami et autres viandes — il semblerait que ces derniers soient exclusifs à la confection maison et il y a tout lieu de croire que ces sushis ont été créés pour combler les penchants des occidentaux pour ce genre d'aliments.

N'hésitez donc pas à créer vos propres recettes, vos propres combinaisons — d'autant qu'il vous est presque toujours loisible, puisque dans l'univers du sushi la créativité est reine, de remplacer un ingrédient par un autre. Et afin de tester vos talents, invitez quelques amis à déguster vos créations et prenez note de leurs commentaires et suggestions.

Allez ! À vos hangiris et à vos makisus. Et itadakimasu !

# 1<sup>re</sup> partie:

## La théorie

# Chapitre 1

# Comprendre le sushi

Vous trouverez, dans le présent chapitre, la description des principales variétés de sushis, ainsi que pour chacune d'elle le matériel spécifiquement requis, les ingrédients de base et la technique pour les confectionner.

Mais avant tout, quelques mots sur les couteaux et autres ustensiles dont vous pourriez avoir besoin, en cours de route.

## Les couteaux et les ustensiles

### Baguettes

Il y a les baguettes pour manger, puis les baguettes pour cuisiner, dont le véritable nom est saibashi. Ces dernières sont plus longues, mais, tout comme pour les autres, il faut tout de même un minimum de pratique pour les utiliser convenablement. Faute de baguettes de bambou pour cuisiner, utilisez les spatules et cuillères en bois.

## Bol d'eau vinaigrée

Le bol d'eau vinaigrée est absolument essentiel à partir du moment où vous travaillez avec du riz sushi. Avant de prendre du riz dans vos mains, vous devez l'humidifier dans cette eau et faire la même chose avec vos couteaux, avant de trancher les makis-zushis. Utilisez 3 parties d'eau pour 1 de vinaigre.

## Couteaux

Tous les chefs sushis possèdent un assortiment de couteaux, chacun ayant son usage spécifique. Toutefois, il n'est pas nécessaire d'en posséder une pleine valise pour être capable de confectionner vos sushis à la maison. Un seul couteau, mais de bonne qualité, sans dent et à lame bien aiguisée, fera parfaitement l'affaire pour découper poissons et légumes.

## Passoire, ou zaru

La passoire sert à laver et à égoutter les légumes, le riz et les autres aliments. Traditionnellement, elle est en bambou, mais n'importe quelle passoire peut naturellement convenir.

## Planche à découper, ou manaita

Outil indispensable, la planche à découper en bois est la plus traditionnelle, mais celles de plastique ou de résine conviennent aussi bien. À cause de l'odeur tenace de nos amis de la mer, il est recommandé de disposer de deux planches à découper, une pour le poisson et l'autre pour les légumes, les fruits, etc.

## Et encore...

Une râpe, un mortier, notamment pour faire l'oboro; des linges propres pour les mains et un autre, immaculé, pour recouvrir le riz lors du refroidissement, des bols à mariner; des petits chaudrons pour chauffer les marinades, une poêle ronde pour l'omelette fine et une autre carrée pour l'omelette sucrée traditionnelle; des plateaux de service, des bols ou des assiettes de fantaisie pour servir le chirashi-zushi, une carafe et des tasses de porcelaine pour servir le saké et des tasses pour le thé.

Le nigiri-zushi, dont le nom signifie pressé dans les mains, est incontestablement le plus populaire des sushis, le plus ancien, le plus renommé et le plus apprécié des véritables amateurs. En soi, le principe du nigiri-zushi est simple. Cependant, sa confection exige quand même une certaine dextérité qui ne s'acquiert, à l'instar de n'importe quel autre art, que par la pratique.

Le nigiri-zushi traditionnel, le vrai si l'on peut ainsi s'exprimer, est composé d'une lanière ou d'un morceau de poisson cru, d'un crustacé ou d'une partie de crustacé (mariné ou pas, c'est selon), posés sur une petite quantité de riz vinaigré et façonné en ovale. Dans la grande majorité des nigiris-zushis, un soupçon de wasabi, cette espèce de moutarde japonaise dont le goût s'apparente au raifort, est étalé entre la garniture et le riz. Les œufs de poissons constituent également une garniture de choix pour les nigiris-zushis confectionnés selon la tradition japonaise. Il existe cependant d'autres types de nigiris-zushis composés, ceux-là, de poissons et/ou de fruits de mer cuits, de légumes, de fruits ou d'omelette.

Soulignons enfin que la plupart des nigiris-zushis sont légèrement trempés dans de la sauce soya (shôyu) avant d'être dégustés.

Je vous propose, ci-dessous, la technique pour confectionner un nigiri-zushi, en prenant pour garniture une fine tranche de calmar — cela dit, la technique demeure la même peu importe la garniture utilisée.

NOTE: Certaines recettes de nigiri-zushi de ce livre, comme les nigiris-zushis enrobés, nécessitent une plus grande quantité de riz que les nigiris-zushis traditionnels. Vous devez donc suivre les indications propres à chaque recette.

## Les ingrédients requis

- 1 bol d'eau vinaigrée (3 parties d'eau pour 1 de vinaigre)
- 20 ml (4 c. à thé) de riz sushi
- 1 tranche de calmar d'environ 10 gr (1/3 d'once)

## La technique

NOTE: Cette technique est celle qui convient aux droitiers. Pour les gauchers, il suffit d'inverser les instructions.

1- Humectez vos mains avec de l'eau vinaigrée, prenez 20 ml (4 c. à thé) de riz sushi et façonnez d'abord une boulette, puis travaillez ensuite cette boulette jusqu'à lui donner une forme ovale, effilée.

2- Déposez la tranche de calmar à la base des doigts de votre main gauche, à la jonction de la paume. Étalez un peu de wasabi sur le calmar.

3- Posez le riz sur la garniture et avec l'index de votre main droite, pressez doucement le riz sur le calmar.

4- Retournez le sushi à l'aide du pouce et de l'index de la main droite afin que le calmar se retrouve sur le dessus.

5- Redéposez dans la main gauche, à la jonction des doigts et de la paume.

6- Avec le pouce et l'index de la main droite, pressez les côtés du sushi.

7- Avec l'index et le majeur de la main droite, pressez de nouveau la garniture sur le riz et, avec le pouce de la main gauche, égalisez le bout du sushi qui s'y trouve.

8- Toujours avec le pouce et l'index de la main droite, tournez le sushi (dans le sens des aiguilles d'une montre) et répétez les opérations 6 et 7.

9- Terminez en faisant une ultime pression sur la garniture, vérifiez une dernière fois que l'aspect du sushi est parfait, puis déposez dans un plateau.

## La finition

Il arrive parfois que les nigiris-zushis soient attachés — un peu comme on attache un cadeau —, d'une fine bande de nori, d'un brin de mitsuba (du persil qui ressemble un peu au persil italien) ou encore d'un brin de ciboulette. D'autres fois, ils sont décorés de bandelettes de feuilles de menthe, de fines rondelles d'échalote et/ou saupoudrés de gingembre râpé.

Ici, comme d'ailleurs pour tous les sushis, vous pouvez donner libre cours à votre imagination en veillant toujours, toutefois, à ne jamais surcharger les bouchées.

Le maki-zushi est un sushi roulé, enrobé d'algue nori. Bien qu'il ne déclenche pas la passion que suscitent les nigiris chez les inconditionnels de sushis, il jouit néanmoins d'une très grande popularité.

Je serais même tenté d'ajouter que le maki-zushi constitue une excellente manière de s'initier à ces délicieuses bouchées japonaises, surtout pour ceux et celles à qui l'idée de manger du poisson cru ne semble pas très attrayante. En effet, une petite languette de maquereau mariné (sans être cuit) à l'intérieur d'un tronçon de maki (ou d'un cornet), et combinée à d'autres ingrédients permet d'éduquer plus doucement votre goût à l'appréciation du poisson cru.

Tout comme pour les nigiris-zushis, la confection des makis nécessite un minimum de pratique, mais vous serez assurément récompensé de vos efforts lorsque vous lirez l'admiration dans les yeux de vos convives.

NOTE: Parce qu'il est presque toujours enrobé d'une feuille de nori, le maki-zushi est aussi appelé norimaki. Cependant, pour certains makis-zushis, on remplace la feuille de nori par une feuille d'omelette que l'on découpe alors du même format qu'une feuille de nori.

Histoire de simplifier les choses, et pour éviter de s'égarer dans un embrouillamini de termes japonais, disons qu'il existe trois grandes familles de makis-zushis.

NOTE: Le maki-zushi prend souvent le nom de son principal ingrédient. Ainsi, on nommera le maki-zushi à base de concombre japonais un kappa-maki, tandis qu'à base de thon il sera un tekka-maki. Par ailleurs, du côté des makis-zushis de fantaisie, le sushi sera baptisé tantôt panda-maki, tantôt tombo-maki selon que ses garnitures évoquent un panda ou un dragon.

### L'hosomaki, le rouleau mince

L'hosomaki, sans doute le plus familier des trois, est un rouleau d'environ 2,5 cm (1 po) de diamètre et ne comporte, outre le riz, qu'un ou deux ingrédients. Il nécessite ½ feuille de nori et est découpé en 6 tronçons.

### Le futomaki, le gros rouleau

Le futomaki est un gros rouleau qui, lui, a environ 5 cm (2 po) de diamètre et qui comporte, outre le riz, de 4 à 6 ingrédients. Il nécessite une feuille entière de nori (parfois 1 1/2) et est généralement découpé en 8 tronçons.

### Le témaki, le cornet

Le témaki est un petit cornet, roulé lâchement et contenant, outre le riz, de 1 à 3 ingrédients. Il nécessite 1/4 de feuille de nori, bien que certains témakis soient faits d'une demi-feuille.

Il est possible de varier à l'infini les combinaisons d'ingrédients pour confectionner les makis-zushis. Aliments crus, cuits et/ou marinés; poissons, fruits, légumes ou omelette, vous n'avez qu'à laisser libre cours à votre créativité. Les virtuoses du sushi confectionnent des makis-zushis d'une qualité esthétique véritablement impressionnante.

Ainsi, une tranche de maki-zushi peut représenter un motif aussi saisissant qu'un papillon multicolore, un panda, une fleur, un dragon, une libellule, etc.

La procédure à suivre pour faire des makis-zushis, décrite ci-dessous, est celle utilisée pour les rouleaux, c'est-à-dire l'hosomaki et le futomaki.

## Les ustensiles requis

- 1 makisu*
- 1 bol d'eau vinaigrée (3 parties d'eau pour 1 de vinaigre)
- 1 couteau parfaitement aiguisé

* Le makisu est une sorte de petit tapis, plus précisément une natte faite de baguettes de bambou; il est absolument indispensable pour rouler les makis-zushis. Il existe trois formats de makisu : un pour les petits rouleaux, un pour les moyens et un pour les gros. Bien entendu, il n'est pas nécessaire de posséder les trois. Si vous ne voulez en acheter qu'un seul, alors optez pour le plus grand puisqu'il pourra servir pour la confection de tous vos rouleaux. Choisissez un makisu solidement tissé et dont les bouts de corde dépassent à une extrémité.

Il est par ailleurs très important de bien laver le makisu après usage; nettoyez-le à l'eau tiède, puis laissez-le sécher à l'air libre avant de le ranger pour éviter qu'il ne s'y forme de la moisissure.

## Les ingrédients de base

- du riz sushi (voir Chapitre 2)
- des feuilles d'algue nori (voir Chapitre 3)

## La technique

1- Étendez votre makisu (bien sec), à plat devant vous et posez-y la feuille de nori, le côté brillant sur la natte — posez la feuille de nori de façon à ce que le maki-zushi, une fois roulé, ait une longueur de 18 cm (7 po).

2- Humectez vos mains dans l'eau vinaigrée, façonnez une bou-lette avec la quantité requise de riz, posez cette boulette sur la feuille de nori et étalez-la délicatement, sans trop presser et en prenant soin de laisser ± 2 cm (± ¾ po) de vide à l'extrémité la plus éloignée de vous, ainsi qu'un petit espace de chaque côté afin d'éviter les débordements. Le riz devrait couvrir la feuille de nori avec une épaisseur d'environ 5 mm (1/8 de po). (Quant aux débordements, soit dit en passant, ils sont plutôt fréquents chez les débutants, mais vous ne devez absolument pas vous laisser décourager par cela).

3- Disposez ensuite les ingrédients tel qu'indiqué dans la recette, ou encore selon votre fantaisie. Si vous le désirez, vous pouvez badi-geonner très légèrement la bande vierge de nori de vinaigre de riz afin de faciliter la soudure du rouleau.

4- Roulez en soulevant le bord du makisu qui se trouve le plus près de vous, fermez le rouleau en pressant fermement, pressez ensuite chaque extrémité du rouleau, avec vos doigts, pour égaliser le maki-zushi et laissez reposer quelques minutes avant de découper.

NOTE : Pour découper des bouchées parfaites, prenez soin de tremper votre couteau, parfaitement aiguisé, dans de l'eau vinaigrée, et ce, avant chaque coupe.

Le maki-zushi inversé est un maki-zushi dont la feuille de nori se retrouve à l'intérieur du rouleau, tandis que le riz se retrouve à l'extérieur.

Pour faire le maki-zushi inversé, posez d'abord votre makisu à plat et recouvrez-le d'une feuille de pellicule plastique. Posez-y la feuille de nori. Étalez ensuite le riz sur la feuille de nori et retournez le tout de façon à ce que le riz se trouve sur la pellicule plastique. Garnissez ensuite le rouleau tel qu'indiqué dans la recette et roulez comme pour le maki-zushi ordinaire. Retirez ensuite la pellicule de plastique et tranchez.

La plupart des rouleaux inversés sont ensuite roulés à moitié dans une garniture, comme du persil haché, des graines de sésame grillées ou encore des œufs de poisson.

Le témaki est incontestablement le maki-zushi le plus facile à confectionner, d'autant plus qu'il n'y a que deux ingrédients qui soient essentiels à sa préparation : du riz et des feuilles de nori, car pour la garniture vous utilisez ce que vous avez sous la main.

Si vous organisez une réception, laissez à vos invités le plaisir de confectionner eux-mêmes leurs témaki. Dressez des assiettes contenant des garnitures variées, des bols contenant du riz vinaigré, disposez des feuilles d'emballage (nori, laitue, omelette, bonite séchée) sur d'autres assiettes et préparez-vous à initier vos convives à la confection des témaki.

NOTE : Les techniques qui suivent conviennent aux droitiers. Pour les gauchers, il suffit d'inverser les instructions.

## Technique numéro 1

1- Préparez vos garnitures.

2- Coupez une feuille de nori en 2 ou en 4 selon le format de témaki que vous désirez.

3- Déposez la feuille de nori dans votre main gauche, en diagonale, de façon à ce que le coin gauche inférieur de la feuille se trouve sur le «bombé» du pouce.

4- Disposez une petite quantité de riz sushi sur le côté gauche de la feuille (20 ml (4 c. à thé) pour les 1/4 de feuille et 37 à 45 ml (2 1/2 à 3 c. à soupe) pour les 1/2).

5- Sur le riz, étalez un peu de wasabi et ajoutez de 1 à 3 ingrédients, à votre goût, selon la recette ou selon la grandeur de la feuille.

6- À l'aide de votre pouce gauche, repliez pour former un cône et roulez, un peu de biais, la feuille de nori, de gauche à droite.

7- Fermez le cône à l'aide d'un grain de riz écrasé.

8- Disposez dans un plateau.

### Technique numéro 2

1- Préparez vos garnitures.

2- Coupez une feuille de nori en 2 ou en 4 selon le format de témaki que vous désirez.

3- Déposez la feuille de nori dans le creux de votre main gauche.

4- Disposez une petite quantité de riz sushi sur le côté gauche de la feuille (20 ml (4 c. à thé) pour les 1/4 de feuille et 37 à 45 ml (2 1/2 à 3 c. à soupe) pour les 1/2).

5- Sur le riz, étalez un peu de wasabi et ajoutez de 1 à 3 ingrédients, à votre goût, selon la recette ou selon la grandeur de la feuille. Laissez dépasser un peu quelques ingrédients.

6- Roulez de gauche à droite de façon à former un petit rouleau.

7- Fermez le rouleau à l'aide de quelques grains de riz écrasés.

8- Disposez dans un plateau.

Le témaki peut être enveloppé dans une feuille de nori, dans une feuille de bonite séchée, de laitue ou encore dans une feuille d'omelette. De nombreuses recettes comportent des graines de sésame, car celles-ci donnent un goût exquis aux témakis.

Le gunkan-maki, aussi appelé «sushi cuirassé», est constitué d'une petite quantité de riz (environ 25 g) façonnée en ovale, enveloppée d'une bande de nori grillée et garnie au goût de chacun.

La bande de nori sera découpée de façon à ce qu'elle soit un peu plus large que la hauteur du riz. Ainsi, une fois le sushi enveloppé, il restera suffisamment d'espace pour ajouter la garniture. La technique du gunkan-maki est commode lorsque la garniture que l'on souhaite utiliser est trop molle pour faire un nigiri-zushi, et commode également pour faire tenir des œufs de poisson sur le riz. Par ailleurs, le gunkan-maki est très apprécié par ceux et celles qui n'ont pas envie de s'initier à l'art du sushi roulé sur la natte de bambou.

Avec juste un tout petit peu d'imagination, vous pouvez faire des gunkans-zushis aussi tentants que colorés qui sauront charmer le regard et les papilles gustatives des petits et des grands.

## Les ingrédients de base

- 1 bol d'eau vinaigrée (3 parties d'eau pour 1 de vinaigre)
- du riz sushi
- des feuilles de nori grillées*
- garnitures au choix

* Pour faire griller la feuille de nori, voir Nori au Chapitre 3.

## La technique

1- Humectez vos mains dans l'eau vinaigrée et façonnez une boulette avec la quantité requise de riz. Donnez-lui une forme ovale et réservez.

2- Découpez une bande de nori et posez-la autour de votre monticule de riz. Faites tenir la bande avec un grain de riz écrasé.

3- Étalez un peu de wasabi sur le riz.

4- Garnissez le gunkan-zushi à votre goût.

5- Déposez sur un plateau.

## Suggestions de garnitures

Les garnitures les plus utilisées pour faire des gunkans-zushis sont les œufs de poisson. Ceux du cabillaud, du crabe, des crevettes, de l'esturgeon, du hareng, de la morue, des oursins, du poisson volant et du saumon conviennent tous parfaitement. Faites alterner les couleurs, les saveurs et les formats des œufs.

Vous pouvez couvrir toute la surface du riz avec les œufs de poisson, mais vous pouvez également n'en couvrir que les deux tiers et garnir le tiers restant avec des demi-tranches de concombre, des touffes de persil, des mini-bâtonnets de carotte (préalablement blanchis), des pointes d'asperges, etc.

Chirashi est un mot japonais signifiant éparpillé ou dispersé. Le chirashi-zushi est un mets splendide, raffiné et élégant qui marie une variété de saveurs et de couleurs — dans les restaurants japonais, où il constitue parfois une véritable œuvre d'art, le chirashi-zushi est souvent un des plats parmi les plus chers. De tous les sushis, il est, sans conteste le plus facile à réaliser, mais aussi celui qui nécessite le plus de temps et de travail. Il est idéal pour un repas léger d'été et parfait pour séduire vos visiteurs impromptus.

De multiples ingrédients peuvent être utilisés pour confectionner le chirashi-zushi. Certains d'entre eux seront délicatement mêlés au riz, tandis que les autres seront simplement dispersés sur le dessus du plat comme autant d'éléments décoratifs. Le nombre d'ingrédients requis dans le chirashi-zushi varie de 7 à 11. Peuvent entrer dans ce type de sushi, des ingrédients crus, cuits ou marinés ; du poisson ; des légumes ; des lanières d'omelette, des œufs brouillés ou cuits durs ; des fruits comme des raisins secs ; des racines ; des condiments, etc. Chaque ingrédient est généralement apprêté indépendamment des autres et c'est cette multitude de saveurs, de textures et de couleurs qui rend ce mets si délectable.

Pour ajouter encore au raffinement, le mélange du chirashi-zushi peut être pressé dans des emporte-pièce et servi sur de petites assiettes.

### Les ustensiles requis

- 1 bol de fantaisie ou des emporte-pièce de formes différentes
- 1 spatule

### Les ingrédients

- du riz sushi (voir Chapitre 2)
- de 4 à 11 garnitures aux couleurs et saveurs variées

### La technique

Suivez les indications propres à chaque recette.

# Chapitre 2

# La confection du riz à sushi

Le riz, dont le nom scientifique est oryza sativa, est une graminée des régions humides tropicales et des régions tempérées chaudes, originaire d'Asie, probablement de la Chine, de l'Indochine et/ou de l'Inde. Certaines recherches archéologiques donnent à penser qu'il y a déjà quelque sept mille ans, existaient en Chine et en Inde des systèmes de culture du riz très sophistiqués. Aujourd'hui, quelque 42 pays produisent du riz (lequel est en passant la céréale la plus consommée au monde et l'aliment de base de plus de la moitié de la population mondiale), mais seuls les Asiatiques consomment la presque totalité de leur production.

Au Japon, où l'on nomme o-kome le riz cru et où gohan désigne à la fois le riz cuit et le repas, le riz fait partie intrinsèque du quotidien et aucun repas de la journée ne saurait être servi sans riz, même le petit déjeuner!

Il existe de fort nombreuses variétés de riz; il y a le riz à grains longs, moyens ou courts; le riz brun ou blanc, mais aussi noir, rouge, jaune, ambré ou doré; il y a le riz instantané (minute, précuit), le riz étuvé (semi-cuit, converted), le riz assaisonné, poli, blanchi, etc. Pour confectionner les sushis, on utilisera toutefois le riz à grains courts, car c'est celui qui renferme le plus de gluten, cette matière protidique localisée à la périphérie des grains de riz et qui leur permet de s'agglutiner entre eux au cours de la cuisson. Vous pouvez bien sûr acheter votre riz à sushi dans une épicerie japonaise, mais n'importe quel riz à grains courts et ronds fera tout aussi bien l'affaire et vous coûtera sans doute beaucoup moins cher. D'autre part, n'utilisez jamais de riz à longs grains, car il n'est pas glutineux et ne convient absolument pas à la confection des sushis.

## Les ustensiles requis

- 1 chaudron suffisamment grand, étant donné que le riz aura 2 1/2 fois son volume en fin de cuisson.
- 1 spatule en bambou* ou 1 cuillère en bois
- 1 hangiri**

* La spatule en bambou utilisée pour mélanger le riz et le vinaigre à sushi s'appelle shamoji. Il est recommandé de passer l'ustensile sous l'eau froide avant de s'en servir afin d'éviter que les grains de riz s'y agglutinent.

** Le hangiri est un plat spécialement conçu pour mélanger le riz et le vinaigre sucré. Cependant, faute de hangiri, vous pouvez utiliser n'importe quel bol peu profond, mais de bonne circonférence, pour autant qu'il ne soit pas en métal — idéalement, il devrait être en bois (mieux encore, de cèdre), car ce matériau absorbe l'excédent d'eau du riz. Avant d'y déposer le riz, mouillez le fond de votre bol afin de l'humidifier, essuyez-le avec un linge, puis versez-y un peu de vinaigre. Ces deux opérations ont pour but d'empêcher le riz de coller au saladier.

NOTE: Notez qu'il vous est loisible d'acheter, déjà tout préparé, le vinaigre à sushi, le sushi-zu. Si vous choisissez cette option, omettez l'étape 2 et utilisez 60 ml (1/4 de tasse) de sushi-zu.

### Riz cru

De façon générale, le riz peut être conservé à température de la pièce, dans un contenant hermétique, et ce, de 6 à 8 semaines. Après ce temps, il vaut mieux le réfrigérer, principalement le riz brun (entier), car il contient une certaine quantité de gras qui, bien que minime, contribue à le faire rancir. Toutefois, c'est la teneur en eau, du riz, qui détermine sa durée de stockage ; certains spécialistes affirment que le riz idéal a une teneur en eau d'environ 13%. Un riz répondant à ce critère, outre le fait qu'il conserve sa pleine saveur très longtemps, reste aussi comestible et délicieux même si on le laisse plusieurs jours après sa cuisson à température de la pièce, si celle-ci est fraîche.

### Riz cuit

Outre ce qui précède et, de façon générale, le riz cuit se conserve au réfrigérateur pendant environ 8 jours, dans un contenant hermétique. Il peut par ailleurs être congelé pour une période d'environ 6 mois.

Le riz est un aliment complet, mais il est recommandé de le consommer avec d'autres aliments, étant donné sa faible teneur en vitamines. Toutefois, il ne faut pas croire qu'il en soit dénué puisqu'on affirme qu'il est une excellente source de calcium, de chlore, de fer, de magnésium, de phosphore et de potassium. Il est également très riche en amidon (amylose et amylopectine) et il contient de la niacine. Très pauvre en matières grasses il ne contient, par ailleurs, aucun cholestérol ce qui en fait l'aliment par excellence pour les personnes qui désirent perdre du poids.

## POUR 1 TASSE (250 ML) DE RIZ CRU

|  | calories | protéines (g) | hydrates de carbone (g) | matières grasses (g) | cholestérol (mg) | sodium (mg) | fibres (g) |
|---|---|---|---|---|---|---|---|
| **BASMATI** | | | | | | | |
| BLANC | 720 | 16 | 164 | 2 | 0 | 0 | 0 |
| BRUN | 680 | 16 | 152 | 8 | 0 | 0 | 8 |
| **BRUN** | | | | | | | |
| LONGS GRAINS | 600 | 12 | 132 | 4 | 0 | 0 | 8 |
| MOYENS GRAINS | 600 | 12 | 128 | 4 | 0 | 0 | 8 |
| COURTS GRAINS | 680 | 12 | 160 | 6 | 0 | 0 | 12 |
| PRÉCUIT (instant) | 300 | 8 | 66 | 2 | 0 | 10 | 4 |
| **BLANC** | | | | | | | |
| LONGS GRAINS | 600 | 12 | 140 | 4 | 0 | 0 | 4 |
| INSTANT (précuit) | 640 | 16 | 144 | 0 | 0 | 20 | 4 |
| ÉTUVÉ (semi-cuit/converted) | 680 | 16 | 152 | 0 | 0 | 0 | 0 |
| GLUTINEUX (grains courts) | 684 | 12,8 | 151,2 | 1,2 | 0 | 12 | 5,2 |
| **SAUVAGE** | 808 | 33,6 | 169,6 | 2,4 | 0 | 16 | 13,6 |

# Recette de riz à sushi

Donne approximativement 1,25 l (5 tasses)

## Ingrédients

### Étape 1

- 500 ml (2 tasses) de riz à grains courts
- 500 ml (2 tasses) d'eau

### Étape 2

- 60 ml (4 c. à soupe) de vinaigre de riz
- 30 ml (2 c. à soupe) de sucre
- 10 ml (2 c. à thé) de sel
- 2 morceaux de kombu (algue) de 3 cm (1 1/4 po)

## Préparation

### Étape 1

Faites tremper le riz dans l'eau toute une nuit avant de le faire cuire.

Lavez bien le riz jusqu'à ce que l'eau soit claire.

Portez l'eau à ébullition, jetez-y le riz, couvrez le chaudron, réduisez le feu et laissez mijoter de 15 à 20 minutes. Retirez du feu et laissez reposer 20 minutes sans ôter le couvercle du chaudron. L'eau doit être complètement absorbée.

## Étape 2

Préparez le mélange vinaigré en faisant chauffer le vinaigre, le sucre, le sel et le morceau de kombu. Retirez du feu dès que le mélange atteint le point d'ébullition. Retirez la kombu.

Déposez le riz chaud dans un plat large et pas trop profond. Versez-y très doucement le mélange vinaigré en le répartissant bien. À l'aide d'une cuillère en bois (tenue en diagonale), séparez les grains de riz un peu comme si vous le «coupiez». Au fur et à mesure que vous le défaites, tassez les grains sur un côté du plat. Recommencez l'opération jusqu'à ce que le vinaigre soit parfaitement absorbé. Recouvrez le riz d'un linge humide en attendant son refroidissement.

### Valeur nutritive

|  | *250 ml (1 tasse)* | *125 ml (1/2 tasse)* |
|---|---|---|
| - calories : | 276 | 138 |
| - protéines : | 4,8 g | 2,4 g |
| - hydrates de carbone : | 62,6 g | 31,3 g |
| - matières grasses : | 0 g | 0 g |
| - cholestérol : | 0 mg | 0 mg |
| - sodium : | 953 mg | 476 mg |
| - fibres : | 1,6 g | 0,8 g |

# Chapitre 3

# Quelques aliments

**Algue :** voir Kombu et Nori.

**Bonite séchée :** voir Katsuo-bushi.

**Bouillon :** voir Dashi.

**Champignon japonais :** voir Shiitake.

**Courge calebasse :** voir Kampyo.

## Daïkon

Le daïkon est un gros radis japonais blanc (dont la longueur varie entre 15 et 50 cm, 6 à 20 po, et le diamètre entre 5 et 10 cm, 2 à 4 po), plutôt piquant au goût, mais dont la saveur est néanmoins sensiblement plus douce que notre radis rouge. Croquant et juteux, le daïkon est couramment utilisé en cuisine japonaise. Cru ou cuit, bouilli, séché ou mariné; râpé, haché ou tranché, il est utilisé tantôt comme garniture, tantôt consommé comme légume.

Riche en vitamine C, le daïkon est réputé favoriser la digestion, particulièrement celle des mets riches, relevés, huileux et/ou riches en matières grasses. On parsème souvent des filaments de daïkon sur le sashimi, et il sert occasionnellement de garniture pour les sushis.

Sur le marché, on peut le trouver essentiellement dans les épiceries japonaises ou certaines épiceries fines, mais on le trouve surtout sous forme de pousses de daïkon, lesquelles se rapprochent davantage, par leur saveur piquante, de notre radis rouge. Sous cette forme, elles contiennent beaucoup de vitamines et de minéraux et portent le nom de kaiwarena.

### Valeur nutritive
*Pour 125 ml (1/2 tasse)*

- calories : 8
- protéines : 0,3 g
- hydrates de carbone : 1,8 g
- matières grasses : 0 g
- cholestérol : 0 mg
- sodium : 9 mg
- fibres : 0,7 g

## Dashi

Le dashi est le nom d'un bouillon dont les usages sont multiples en cuisine japonaise.

Bien qu'il ne soit pas requis en tant que tel dans la confection des sushis, nombre des ingrédients utilisés pour faire ceux-ci sont toutefois mijotés au préalable dans le dashi.

Trois ingrédients seulement sont essentiels à la préparation du dashi : des morceaux de kombu (algue séchée), du katsuo-bushi (des flocons de bonite séchée) et de l'eau (voir Quelques recettes de base : dashi.)

## Gari

Le gari est une marinade de fines tranches de gingembre. Dans les bars à sushis, vous en trouverez toujours une petite provision, mais attention, le gari n'est ni une entrée ni une salade, il est destiné à rafraîchir le palais entre les différents sushis et ne doit être consommé qu'en petite quantité (voir Quelques recettes de base : gingembre mariné).

**Valeur nutritive**
*Gingembre frais, haché : 60 ml (1/4 de tasse)*

- calories : 17
- protéines : 0,4 g
- hydrates de carbone : 3,6 g
- matières grasses : 0,2 g
- cholestérol : 0 mg
- sodium : 1,417 g
- fibres : 0,5 g

Gingembre mariné :
voir Gari.

## Goma

Goma est le terme japonais pour désigner les graines de sésame. Il existe de nombreuses variétés de sésame, mais les deux principales sont le noir et le blanc; le noir est plus fort, mais le blanc est le plus fréquemment utilisé chez nous. On nomme shiro goma les graines de sésame non décortiquées et muki goma les graines décortiquées — concernant ces dernières, il est recommandé de les conserver au réfrigérateur, car elles ont tendance à rancir rapidement.

Le sésame, symbole d'immortalité en certains points du globe et appelé herbe de longue vie en d'autres, est un aromate absolument délicieux, riche en vitamines et en minéraux, doté de nombreuses vertus thérapeutiques et présent dans toutes les cuisines japonaises.

On en fait de nombreux produits, notamment, des sauces, des trempettes et du vinaigre, mais on le transforme aussi en poudre, en pâte et en beurre et on en extrait une huile fameuse. Le sésame est couramment utilisé pour rehausser la saveur du riz et de certains makis-zushis (sushis roulés). Un petit conseil pour obtenir un maximum de saveur: faites chauffer une poêle (sans aucun corps gras), jetez-y les graines de sésame et faites cuire durant environ une minute — ne cessez jamais de remuer sans quoi les graines risquent, sinon de brûler, tout au moins d'éclater.

### Valeur nutritive
*graines de sésame grillées: 1 once*

- calories: 161
- protéines: 4,8 g
- hydrates de carbone: 7,3 g
- matières grasses: 13,6 g
- cholestérol: 0 mg
- sodium: 3 mg
- fibres: 4 g

**Gourde:** voir Kampyo.

**Graines de sésame:** voir Goma.

## Kampyo

La gourde est une courge dite courge calebasse et est le fruit du faux calebassier — elle tire son nom du fait que son enveloppe peut servir de récipient (de gourde) après avoir été vidée et séchée. Le kampyo est fait à partir de cette courge, laquelle est découpée en longues et fines bandelettes qui sont ensuite mises à sécher (pour reconstituer le kampyo séché, voir Quelques recettes de base : kampyo sucré). Le kampyo entre dans la confection des makis-zushis (rouleaux) et il est parfois finement haché et ajouté au riz.

**Valeur nutritive**
*20 g (2/3 once)*

- calories : 4
- protéines : 0,2 g
- hydrates de carbone : 0,9 g
- matières grasses : 0 g
- cholestérol : 0 mg
- sodium : 0 mg
- fibres : 0,3 g

## Katsuo-bushi

Katsuo-bushi est le nom donné aux flocons de bonite séchée, utilisés essentiellement dans la confection des soupes et des bouillons dont, notamment, le dashi.

## Kombu

La kombu est une algue de la famille des Laminaria spp. Vous pouvez vous procurer de la kombu séchée dans les épiceries japonaises, et parfois, quoique plus rarement, dans les épiceries fines. La kombu est un des deux principaux ingrédients entrant dans la confection du dashi, ce bouillon à la base de nombreuses préparations culinaires au Japon et dont vous trouverez la recette au chapitre 5. En outre, on en met un petit morceau dans le vinaigre sucré servant à faire le riz sushi.

La kombu est très riche en minéraux, notamment en iode, en calcium et en fer et riche aussi en acide glutamique, dont on extrait le glutamate monosodique (MSG) qui relève la saveur des aliments, en plus de les attendrir et d'en faciliter la digestion.

La kombu ne doit jamais être cuite trop longtemps, car outre le fait qu'il trouble la clarté d'un bouillon, il lui confère une vilaine amertume.

**Valeur nutritive**
*1 morceau de 9 cm (3 1/2 po)*

- calories : 10
- protéines : 0 g
- hydrates de carbone : 2 g
- matières grasses : 0 g
- cholestérol : 0 mg
- sodium : 90 mg
- fibres : 1 g

**Lotus :** voir Racine de lotus.

## Mirin

Le mirin est un vin de riz qui tire entre 5 et 8 % d'alcool, qui est doux et très sucré et dont le goût n'est pas sans évoquer celui du sherry. Toutefois, le mirin ne constitue pas une boisson, mais plutôt un condiment. Assaisonnement de base en cuisine japonaise, il est utilisé, en petite quantité, pour aromatiser les bouillons, les soupes, les sauces, les marinades, et parfois aussi le vinaigre qui entre dans la confection du riz sushi. Si vous n'avez pas de mirin sous la main, il est possible de vous en préparer vous-même en faisant dissoudre 120 g de sucre dans 125 à 250 ml de saké sec, préalablement chauffé.

**Moutarde japonaise :** voir Wasabi.


## Nori

Bien qu'elle ne soit pas essentielle à la confection de toutes les variétés de sushis, la nori n'en demeure pas moins un ingrédient important, voire même essentiel, pour certaines d'entre elles.

La feuille de nori, aussi mince qu'une feuille de papier, est constituée de plusieurs variétés d'algues pulvérisées, pressées et séchées. Rouge ou pourpre, à l'état naturel, l'algue nori est d'un vert foncé, presque noir, lorsqu'elle est séchée, et d'un vert brillant quand elle est grillée. Il existe de nombreuses variétés de noris dont certaines sont très chères, mais il est aussi possible de vous en procurer à un prix très abordable — certains emballages de feuilles de nori contiennent même un makisu.

La feuille de nori peut être utilisée telle quelle, mais quelques recettes, comme les recettes de gunkans-zushis requièrent qu'on les fasse griller, afin, d'une part, d'en rehausser la saveur et, d'autre part, de les rendre plus croustillantes. Quand on fait griller de la nori, il faut le faire très légèrement (pas plus de 30 secondes) et d'un seul côté.

La nori, découpée en bandelettes, plus ou moins larges, sert également à entourer certaines variétés de sushis, tandis qu'émiettée elle est employée comme aromate et comme garniture.

À l'achat, choisissez des feuilles de nori croustillantes et vérifiez :

1- que l'emballage soit parfaitement hermétique ;

2- la date de péremption ;

3- qu'il s'agisse bien de nori japonaise, et non pas de nori coréenne dont le goût n'est pas tout à fait le même.

Un emballage non entamé de nori se conserve dans un endroit frais, à l'abri de la lumière, tandis qu'un emballage entamé de nori doit être réemballé sinon sous vide, tout au moins parfaitement recouvert d'une pellicule plastique de façon à ce qu'il n'y ait pas d'air dans l'emballage et conservé au réfrigérateur pendant un court laps de temps. Congelées, les feuilles de nori se conservent toutefois presque indéfiniment sans perdre leur saveur.

Une feuille entière de nori mesure 21 x 18 cm (8 1/4 x 7 1/4 po), mais vous remarquerez que de très nombreuses recettes de ce livre ne nécessitent qu'une demi-feuille de nori. Sauf indications contraires, le côté de la feuille nori mesurant 17,5 cm (7 po) se place à l'horizontale et on roule sur 21 cm (8 1/4 po); dans le cas d'une demi-feuille, le côté de la feuille nori mesurant 17,5 cm (7 po) se place à l'horizontale et on roule sur 10,5 cm (4 1/8 po).

Quand plus d'une feuille est requise, faites adhérer les deux parties en écrasant quelques grains de riz sushi là où les feuilles se chevauchent. Ne cassez jamais une feuille de nori, pour la découper, utilisez toujours la pointe d'un couteau bien affûté.

**Valeur nutritive**
*1 feuille ou 3 g (1/10 d'once)*

- calories : 10
- protéines : 1 g
- hydrates de carbone : 2 g
- matières grasses : 0 g
- cholestérol : 0 mg
- sodium : 20 mg
- fibres : 1,0 g

## Oboro

L'oboro est un mets fait de chair hachée de poisson blanc, aromatisée de sucre et de saké et de couleur rouge. Attrayant et délicieux, l'oboro peut être utilisé dans la confection de nombreux sushis (voir Quelques recettes de base : oboro).

## Omelette : voir Tamago.

## Racine de lotus

La racine de lotus est une sorte de tube percé de trous sur toute sa longueur; sa chair est blanche et croquante et elle peut être consommée pelée ou non. Tranchée, la racine de lotus est particulièrement décorative. Sa forme attrayante de fleur en fait une garniture très appréciée dans la confection des sushis (pour accentuer l'aspect floral des tranches, et avant de trancher, incisez l'extérieur de la racine, sur sa longueur, à l'aide d'un bon couteau, en traçant un « V » entre les cavités. La racine de lotus se vend en conserve dans les épiceries asiatiques.

Pour éviter la décoloration des tranches de racine de lotus, immergez-les quelques instants dans de l'eau vinaigrée (voir Quelques recettes de base : lotus mariné).

**Valeur nutritive**
*Pour 30 g (1 once)*

- calories : 16
- protéines : 0,7 g
- hydrates de carbone : 4,9 g
- matières grasses : 0 g
- cholestérol : 0 mg
- sodium : 11 mg
- fibres : 1,4 g


## Radis : voir Daïkon.


## Raifort japonais : voir Wasabi.


## Sauce soya : voir Shôyu.


## Sésame : voir Goma.

## Shiitake

Les shiitakes sont probablement les champignons les plus couramment utilisés en cuisine japonaise — ils sont en vente, chez nous, dans certains supermarchés et dans les boutiques d'aliments japonais, frais ou séchés. À l'achat, choisissez des siitakes épais, fermes et à la tête veloutée.

- Frais. Ils se consomment grillés ou sautés à la poêle et saupoudrés légèrement de sel ; on peut les servir arrosés de jus de citron ou avec une sauce vinaigrée. Les shiitakes frais sont également excellents avec ou dans du riz.

- Séchés : Les shiitakes séchés dégagent une forte odeur qui s'amenuise toutefois après reconstitution. Pour ce faire, après avoir séparé les queues des têtes, faites-les tremper pendant une heure dans suffisamment d'eau pour les couvrir ; prenez soin de poser une assiette sur les champignons durant le trempage afin de les garder immergés. S'il faut habituellement éviter de les faire tremper trop longtemps, car cela altère leur saveur, certains cuisiniers préfèrent prolonger le trempage durant une douzaine d'heures, mais dans ce cas il ne faut pas séparer les queues des têtes.

Réservez l'eau de trempage des champignons et utilisez-la, tel qu'indiqué dans la recette des shiitakes glacés. Le reste peut être employé pour confectionner une soupe ou un dashi (voir Quelques recettes de base : shiitakes glacés).

## Valeur nutritive
*Frais : 30 g (1 once)*

- calories : 48
- protéines : 2,1 g
- hydrates de carbone : 3,2 g
- matières grasses : 0,3 g
- cholestérol : 0 mg
- sodium : 0 mg
- fibres : 0,7 g


*Séché : 15 g (1/2 once)*

- calories : 44
- protéines : 1,4 g
- hydrates de carbone : 11,3 g
- matières grasses : 0,2 g
- cholestérol : 0 mg
- sodium : 2 mg
- fibres : 1,7 g


## Shiso

Shiso est le nom donné à une variété japonaise de feuilles de menthe et dont le goût s'apparente à la fois à la saveur de notre menthe traditionnelle et à celle du citron — le shiso, rouge ou vert, est vendu dans les épiceries asiatiques.

## Valeur nutritive
*1 ml (1/4 c. à thé) de menthe séchée*

- calories : 1
- protéines : 0 g
- hydrates de carbone : 0,1 g
- matières grasses : 0 g
- cholestérol : 0 mg
- sodium : 1 mg
- fibres : 0 g

## Shôyu

Il s'agit du nom donné à la sauce soya japonaise. Le shôyu est obtenu par la fermentation (qui dure approximativement un an), de fèves soya, de blé, de malt, d'eau, de sel et de levure. Bien qu'il soit, le plus souvent d'origine végétale, le shôyu peut aussi être d'origine animale quand il est obtenu par la fermentation de poisson. Par rapport à la sauce soya chinoise, le shôyu a un goût plus léger, plus fin et est moins salé. Par ailleurs, il est recommandé d'acheter le shôyu en petites quantités, car sa saveur s'altère rapidement.

Il existe deux principales variétés de sauce soya japonaise :

- Koikuchi. C'est la sauce soya la plus couramment utilisée ; elle est foncée, noire, et épaisse et contient ± 17,5 % de sel.

- Usukuchi. Il s'agit d'une variété plus claire, plus légère et plus salée (± 19,5 % de sel) ; elle est essentiellement utilisée lorsque le cuisinier ne désire pas colorer les ingrédients de son mets.

Impossible de ne pas glisser quelques mots à propos du tamari, lequel est une sauce soya brassée artificiellement. Plus sucrée que les précédentes, elle est souvent servie avec le sashimi, mais les adeptes de la cuisine japonaise lui reprochent souvent son manque de saveur.

À titre d'information, une cuillère à soupe (15 ml) de shôyu contient approximativement 1040 mg de sodium ! Cependant, pour les gens qui suivent un régime pauvre en sel, il existe maintenant, sur le marché, des sauces soya allégées.

Chez les Japonais, le shôyu est un ingrédient absolument indispensable ; il est en quelque sorte leur sel et il accompagne tous les mets, crus ou cuits ; qu'il s'agisse de riz, de légumes, de poissons ou de viandes. En outre, en tant qu'assaisonnement numéro un, il entre dans la confection de presque tous les plats. Bien entendu, le shôyu est toujours présent dans les restaurants japonais et il est le seul assaisonnement requis pour la dégustation des sushis. Si vous fréquentez les bars à sushis vous pourrez constater que nombre de ceux-ci s'enorgueillissent de préparer eux-mêmes leur shôyu.

Toujours concernant les bars à sushis, on met à votre disposition un petit bol pour la sauce soya. N'en versez toujours qu'une petite quantité à la fois et trempez-y légèrement votre sushi — n'allez surtout pas arroser celui-ci de sauce! Cela étant dit, certains sushis déjà très assaisonnés se savourent sans sauce soya (voir Quelques recettes de base : sauce soya sucrée).

**Valeur nutritive**
*15 ml (1 c. à soupe)*

- calories : 15
- protéines : 2 g
- hydrates de carbone : 2 g
- matières grasses : 0 g
- cholestérol : 0 mg
- sodium : 1010 mg
- fibres : 0 g

**Soya :** voir Shôyu.

Su

Assaisonnement très fréquemment utilisé en cuisine japonaise, le su est un vinaigre de riz, léger, très doux, un peu sucré, un peu fruité et de couleur paille. Il a autant d'usages différents chez les Japonais qu'en a le vinaigre commun dans la cuisine occidentale.

Le vinaigre de riz est absolument indispensable à la confection du riz sushi puisqu'il est un de ses ingrédients de base — vous pouvez par ailleurs trouver, sur le marché, du sushi-zu, ce vinaigre à sushi prêt à être utilisé dans votre riz. Cependant, si vous n'en avez pas sous la main, vous pouvez le faire vous-même tel qu'indiqué dans la recette de base du riz sushi. Le vinaigre de riz entre également dans la composition des marinades à poisson.

Selon certains cuisiniers, on peut substituer le vinaigre de cidre (légèrement dilué) au vinaigre de riz. Les autres vinaigres — de vin, d'orge, etc. — ne sont pas recommandés, car ils sont trop forts pour être utilisés dans les mets japonais.

## Tamago

Tamago est le nom japonais qui désigne l'omelette sucrée. Il existe deux types d'omelettes. Le premier est l'omelette ultra-fine, appelée kinshi-tamago, aussi mince qu'une feuille de papier, qui sert notamment à envelopper certains sushis, dont les makis-zushis (hosomaki et futomaki (petits et gros rouleaux)) ainsi que les témakis (cornets). Elle est également utisée, finement hachée, comme élément décoratif, et succulent, dans les chirashis-zushis.

Le second type est l'omelette épaisse, laquelle doit être cuite dans une poêle carrée. Confectionnée selon une technique spéciale, en couches superposées, elle est notamment utilisée pour garnir les nigiris-zushis (voir Quelques recettes de base: omelette mince et omelette épaisse).

## Umeboshi

Il semblerait que les prunes marinées — ce que sont les umeboshis — soient très efficaces pour rafraîchir le palais après avoir consommé des plats huileux, gras ou encore des féculents. La boîte à lunch japonaise comporte presque toujours des umeboshis!

Pour votre initiation à ce fruit, allez-y prudemment, car sa saveur est mordante et aigrelette.

Orange (leur couleur naturelle) ou rouges (lorsqu'elles sont marinées) les umeboshis sont réputées être excellentes pour faciliter la digestion.

Vous trouverez, dans les boutiques d'aliments japonais, de la confiture d'umeboshi, laquelle sert à garnir les sushis — une toute petite quantité suffit.

Cependant, si vous n'en avez pas, il vous suffit de hacher une de ces prunes marinées et de l'utiliser à la place de la confiture.

**Valeur nutritive**
*Prune fraîche, japonaise, 125 ml (1/2 tasse)*

- calories : 46
- protéines : 0,7 g
- hydrates de carbone : 10,7 g
- matières grasses : 0,5 g
- cholestérol : 0 mg
- sodium : 1 mg
- fibres : 1,2 g


**Vin de riz :** voir Mirin et Saké.


**Vinaigre de riz :** voir Su.


**Wasabi**

Originaire du Japon, le wasabi, cette plante de la famille des crucifères (tout comme le raifort), et dont le nom en japonais signifie «rose trémière de montagne», est appelée tantôt raifort japonais parce qu'il s'agit d'une racine comestible piquante, et tantôt moutarde japonaise, car sa saveur rappelle celle de ce condiment.

L'usage du wasabi, dont la saveur est mordante et pénétrante, est essentiellement le même que le raifort, quoique son goût soit beaucoup plus délicat et doux que ce dernier. Il est extrêmement difficile de se procurer la racine fraîche de wasabi en dehors du Japon. Chez nous, le wasabi est disponible sous deux formes : en pâte (verte ou rouge) et en poudre.

La poudre peut être reconstituée, en lui ajoutant quelques gouttes d'eau ou de sauce soya, pour former une pâte ferme. Cependant, la poudre de wasabi est toujours servie sous sa forme sèche avec le sashimi. Il appartient aux convives d'en ajouter à leur discrétion, à leur petit bol de shôyu (sauce soya) destiné à tremper leurs morceaux de poisson cru.

Quant à la pâte de wasabi, elle est tout à fait indispensable à la confection des nigiris-zushis de poisson cru, car le cuisinier en dépose toujours un trait entre le riz et le poisson ; ensuite, ce sushi sera trempé, au goût du consommateur, dans la sauce soya ne contenant pas de wasabi.

Dans un bar à sushis, il vous est toujours loisible de demander au chef de vous mettre davantage de pâte wasabi plutôt que de rajouter de la poudre à votre sauce soya, ce qui serait déroger aux usages.

**Valeur nutritive**
*125 ml (1/2 tasse), frais*

- calories : 19
- protéines : 1,1 g
- hydrates de carbone : 4,3 g
- matières grasses : 0,1 g
- cholestérol : 0 mg
- sodium : 21 mg
- fibres : 1,6 g

# Chapitre 4

# Les poissons à utiliser

Avant d'aborder la liste de quelques poissons pouvant être utilisés dans la confection des sushis, quelques mots à propos de l'anisakiose, aussi appelée maladie du ver du hareng, qui est un parasite gastro-intestinal dont vous pourriez goûter les désagréments en consommant du poisson cru qui ne serait pas frais. Maladie certes déplaisante, mais pas mortelle, il faut seulement en subir les incommodités puisqu'il n'y a aucun traitement pour hâter sa fin, un peu comme une gastro-entérite.

Dans la revue *Impact médecin hebdo*[1], on nous précise que les poissons les plus à risque sont : le lingue, le lieu noir, le merlu, le grondin rouge, le hareng, le maquereau, le cabillaud et le merlan. Mais ne vous effrayez pas inutilement! Des millions de gens consomment du poisson cru et très peu sont touchés par ce microbe. Il suffit, quand vous préparez vos sushis et sashimis vous-même, de prendre toutes les précautions nécessaires, tant au niveau de l'achat du poisson que sur le plan de l'hygiène quand vous l'apprêtez. On ne le dira jamais suffisamment : le poisson doit toujours être d'une fraîcheur extrême.

Cette petite mise en garde faite, voici donc la description de quelques poissons parmi les plus faciles à trouver sur le marché et pouvant être utilisés dans la confection des sushis, je dis quelques poissons, car cette liste est loin d'être exhaustive. Informez-vous auprès de votre poissonnier afin qu'il guide vos pas dans ce vaste domaine puisque chaque poisson possède ses propres caractéristiques, et souvent une manière particulière d'être apprêté. Certains poissons peuvent se manger crus, d'autres, non.

Dans l'hypothèse donc où vous envisageriez de faire souvent des sushis, donnez-vous la peine de vous trouver un excellent poissonnier, quelqu'un en qui vous pourrez avoir entière confiance quant à la qualité des produits.

---

1        #369, 6 juin 1997.

## Anguille

Nom japonais : unagi

L'anguille (de la famille des anguillidés), est un poisson osseux, à forme très allongée, qui ressemble à un serpent, et dont la peau est glissante et visqueuse. Il existe de nombreuses variétés d'anguilles, mais en amérique du nord on ne retrouve que l'anguille commune. De façon générale, les chefs sushis préfèrent importer leurs anguilles du japon, là où elles sont cultivées en couveuse et précuites avant d'être exportées.

Poisson à chair ferme et grasse, l'anguille n'est jamais consommée crue et même si le sang de l'anguille est considéré venimeux s'il était mis en contact avec des plaies, ce venin est toutefois inoffensif pour la consommation, car il est détruit par la cuisson et par les sucs de la digestion. Généralement, l'anguille (une importante source de graisse animale dans le régime alimentaire des japonais) est coupée en cubes de la grosseur des cubes de viande qui servent à faire des brochettes. Elle est d'abord grillée une première fois, puis mise à mariner et grillée de nouveau — certains cuisiniers la font d'abord cuire à la vapeur durant 5 minutes, avant de la griller. Dans les sushis, la saveur de l'anguille se marie très bien à celle du concombre.

Soulignons, pour l'anecdote, que mia detrick[2] rapporte que durant le solstice d'été, au jour de la vache, il convient de manger de l'anguille si l'on veut rester en bonne santé tout au long de l'annéeLes japonais, très fidèles à cette tradition, consomment pas moins de 865 tonnes d'anguilles ce jour-là !

### Valeur nutritive
*Crue, 4 onces (120 g)*

- Calories : 209
- Protéines : 20,9 g
- Hydrates de carbone : 0 g
- Matières grasses : 3,2 g
- Cholestérol : 143 mg
- Sodium : 58 mg
- Fibres : 0 g

2     Sushi, Chronicle Books, San Francisco, 1983.

## Marinade pour anguille

Note : vous pouvez multiplier la recette selon la quantité de poisson que vous devez faire mariner.

### Ingrédients

- 30 ml (2 c. à soupe) de vin blanc
- 5 ml (1 c. à thé) de sucre
- 5 ml (1 c. à thé) de mirin
- 10 ml (2 c. à thé) de shôyu

## Bonite

Nom japonais : katsuo

La bonite est une variété de thon des mers chaudes. Petit poisson migrateur, au corps allongé et à la chair d'un rose profond, son exode des eaux japonaises souligne en ce pays le début du printemps. Très populaire aux états-unis, la bonite est sans doute le poisson le plus pêché au monde.

Comme la bonite supporte mal la congélation, il est recommandé de la consommer fraîchement pêchée, en saison, c'est-à-dire entre le milieu de l'été et la fin de l'automne. Faites griller légèrement la bonite, puis découpez-la en petits morceaux pour confectionner vos sushis.

Note : on appelle katsuo-bushi, les flocons de bonite séchée, utilisés essentiellement dans la confection des soupes et des bouillons, notamment le dashi.

### Valeur nutritive
*Crue, 4 onces (120 g)*

- Calories : 146
- Protéines : 29,3 g
- Hydrates de carbone : 0,5 g
- Matières grasses : 2,3 g
- Cholestérol : 0 mg
- Sodium : 50 mg
- Fibres : 0 g

## Calmar (ou calamar)

Nom japonais : ika

Le calmar est un des membres de la grande famille des mollusques. Son corps est allongé, il est dépourvu de coquille et il nage librement dans l'océan en traînant derrière lui ses longs tentacules.

Il peut être consommé cru ou cuit. Crue, sa chair est blanchâtre, visqueuse, poisseuse, perlée et un peu caoutchouteuse ; maigre et ferme, elle fond dans la bouche. Sa saveur iodée vous comblera d'aise ou... Vous rebutera royalement. Cuite, la chair de calmar prend un ton de rouge tirant sur le violet.

Plus de 80 % du calmar est comestible puisque l'on peut consommer et les tentacules et le corps. Cependant, c'est généralement ce dernier qui est utilisé pour confectionner les sushis.

La cuisson du calmar est très brève et il faut éviter de la prolonger, car cela le fait durcir. Le calmar peut être sauté ou frit (2 minutes à feu moyen) ou poché (environ 1 minute dans de l'eau bouillante). Pour le cuire, découpez-le d'abord en bandes d'environ 7,5 cm (3 po), puis faites quelques incisions, de chaque côté tous les 5 cm (2 po) afin, d'une part, de l'attendrir et, d'autre part, de permettre à la sauce soya d'y pénétrer.

Dans plusieurs bars à sushis, on sert le calmar arrosé de jus de citron et saupoudré de sel.

Importé congelé, le calmar est offert à longueur d'année.

### Valeur nutritive
*Cru, 4 onces (120 g)*

- Calories : 104
- Protéines : 17,7 g
- Hydrates de carbone : 3,5 g
- Matières grasses : 1,6 g
- Cholestérol : 265 mg
- Sodium : 50 mg
- Fibres : 0 g

### Clams/mollusques bivalves

Au niveau de la grande famille des clams il beaucoup de confusion quant il s'agit de désigner une espèce puisqu'un seul nom peut désigner plusieurs espèces différentes.

Ainsi, clam, en français, désigne le mollusque bivalve en général, tandis qu'en anglais le même mot fait plutôt référence à la palourde.

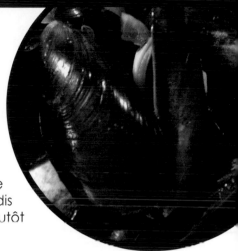

Le tableau des valeurs nutritives ci-dessous est celui-ci de la palourde, mais ces valeurs sont sensiblement les mêmes pour les mollusques bivalves.

**Valeur nutritive**
*Cru, 4 onces (120 g)*

- Calories : 84
- Protéines : 14,5 g
- Hydrates de carbone : 2,9 g
- Matières grasses : 1,1 g
- Cholestérol : 39 mg
- Sodium : 64 mg
- Fibres : 0 g

### Coquille saint-jacques

Nom japonais : hotate-gai

La coquille saint-jacques est un mollusque bivalve de couleur beige jaunâtre, largement cultivé pour être mis sur le marché et donc, en vente (quoique généralement congelé), tout au long de l'année. Cependant, il semble que le meilleur temps pour le consommer soit de tard l'automne jusqu'au printemps.

La partie comestible de la coquille saint-jacques est son gros muscle adducteur situé au centre de la coquille. Sa chair, un peu sucrée et au goût de mer prononcé, est tout à fait délectable et fond dans la bouche lorsqu'elle est crue. Cuite, la coquille saint-jacques devient un peu caoutchouteuse. Les petites coquilles sont généralement finement découpées et servies en gunkans-makis, tandis que les gros muscles sont utilisés pour les nigiris-zushis.

## Valeur nutritive
*Crue, 4 onces (120 g)*

- Calories : 100
- Protéines : 19,0 g
- Hydrates de carbone : 2,7 g
- Matières grasses : 0,9 g
- Cholestérol : 38 mg
- Sodium : 183 mg
- Fibres : 0 g

## Crabe

Nom japonais : kani

Il existe de nombreuses variétés de crabes, mais la variété la plus commune est probablement celle qui nous vient de l'alaska.

Crustacé à cinq paires de pattes, sa chair blanche est succulente, mais (malheureusement !) Seulement un quart de son poids est comestible. Le crabe se vend généralement frais, cuit ou surgelé, dans sa carapace ou non, et également en conserve. Il est toutefois possible d'acheter du crabe vivant dans certaines poissonneries — pour le cuire, il suffit, tout comme le homard, de le plonger dans de l'eau bouillante salée, de 10 à 25 minutes selon sa taille.

## Valeur nutritive
*Crue, 4 onces (120 g) (alaska king)*

- Calories : 95
- Protéines : 20,8 g
- Hydrates de carbone : 0 g
- Matières grasses : 0,7 g
- Cholestérol : 47 mg
- Sodium : 948 mg
- Fibres : 0 g

## Crevette

Nom japonais : ebi (cuite)
            Ama ebi (crue)

La crevette est incontestablement l'aliment le plus populaire et le plus estimé des gens qui fréquentent les bars à sushis. Crustacés d'eau douce, les crevettes sont employées tantôt cuites, tantôt crues. Cuites, elles peuvent être fraîches, congelées ou en conserve, mais pour les sushis oubliez d'ores et déjà les crevettes en conserve. Les crevettes fraîches ou surgelées sont parfois vendues dans leur carapace et parfois décortiquées, tantôt étêtées, tantôt non.

Pour les japonais, la crevette crue, lustrée, translucide et sucrée, servie sur une boulette de riz, constitue le nec plus ultra des sushis.

Cependant, peu de variétés de crevettes (fraîches ou congelées) sont d'une qualité suffisamment élevée pour être consommées crues.

Si vous achetez des crevettes crues, chez le poissonnier, portez votre choix sur les crevettes grises plutôt que rosées, car leur teinte témoigne d'une plus grande fraîcheur.

En ce qui concerne les sushis, la tête de la crevette, sa carapace et ses pattes sont généralement retirées après cuisson.

Les japonais sont très friands des crevettes servies encore vivantes et appelées odori-ebi (les fameuses dancing prawn, en anglais), ces crevettes qui frétillent sur le palais et pour lesquelles ils paient jusqu'à 25 dollars l'unité.

### Valeur nutritive
*Crue, 4 onces (120 g)*

- Calories : 120
- Protéines : 23,0 g
- Hydrates de carbone : 1 g
- Matières grasses : 2 g
- Cholestérol : 173 mg
- Sodium : 168 mg
- Fibres : 0 g

## Cuisson des crevettes

Sans décortiquer, ni ôter la tête, déveinez la crevette en tirant sur la veine dorsale à l'aide d'un petit couteau ou d'une baguette. Enfilez la crevette sur une brochette de bambou afin de la mettre droite et de l'empêcher de se recourber lors de la cuisson.

### Bouillon de cuisson (pour 2 crevettes)

#### Ingrédients

- 15 ml (1 c. à soupe) de saké
- 1 ml (1/4 de c. à thé) de sel

#### Préparation

Dans un petit chaudron, mélangez saké et sel et ajoutez juste assez d'eau pour couvrir les crevettes. Cuisez jusqu'à ce que la crevette rougisse. Retirez du feu et faites refroidir rapidement dans de l'eau glacée. Retirez la brochette.

Décortiquez ensuite la crevette, coupez-lui la tête et retirez les pattes; coupez en 2 sur la longueur ou encore ouvrez seulement le ventre selon la recette. Faites ensuite mariner quelques heures dans un vinaigre sucré, puis utilisez tel que requis dans la recette.

### Vinaigre sucré

#### Ingrédients

- 60 ml (1/4 de tasse) de vinaigre de riz
- 15 ml (1 c. à soupe) de sucre
- 1 ml (1/4 de c. à thé) de sel

### Flétan

Nom japonais : hirame

Le flétan, cru ou légèrement mariné, constitue un pur délice pour les amateurs de sushis.

Ce poisson blanc (ou rose pâle), à la chair translucide, moelleuse, de la consistance du beurre, est de saveur très délicate et son prix élevé en fait une denrée luxueuse. Pour relever son goût plutôt discret, faites-le macérer un peu dans une marinade aux agrumes additionnée de ciboulette fraîche, hachée.

**Valeur nutritive**
*Cru (atlantique ou pacifique), 4 onces (120 g)*

- Calories : 124
- Protéines : 23,6 g
- Hydrates de carbone : 0 g
- Matières grasses : 2,6 g
- Cholestérol : 37 mg
- Sodium : 61 mg
- Fibres : 0 g

### Maquereau

Nom japonais : saba

Poisson fusiforme au dos gris-bleu rayé de noir, le maquereau vit en bancs dans les mers tempérées et on le pêche en octobre et en novembre, mais parce qu'il est très sensible aux variations environnementales, il peut être très abondant une année et rare l'année suivante. Bien que le thon et le maquereau soient de la même famille, leur goût est très différent, celui du thon étant beaucoup plus fin et subtil.

Extrêmement savoureuse, la chair du maquereau est blanche, molle, mais substantielle, plutôt grasse, suave et moelleuse sur la langue et, comme celle du thon, elle fond dans la bouche.

La découpe du maquereau, dans les bars à sushis est faite de telle sorte que, sur un même morceau, se retrouveront deux bandes distinctes de chair de poisson, l'une claire et l'autre plus foncée. Bien que servi cru, le maquereau est toujours préalablement salé et mariné. Comme sa saveur est très prononcée, le nigiri-zushi de maquereau est recommandé aux personnes qui apprécient le goût intense du poisson (cette saveur peut toutefois varier suivant la marinade utilisée par le chef).

Si vous achetez un maquereau frais, choisissez-le aux yeux clairs, à la peau argentée et brillante, au ventre blanc et bombé, à la chair ferme. Le maquereau congelé est bon, mais il est assurément moins savoureux que le maquereau frais. Ne perdez par ailleurs jamais de vue que le maquereau est un poisson hautement périssable et qu'il doit être consommé très rapidement.

## Valeur nutritive
*Cru (atlantique), 4 onces (120 g)*

- Calories : 232
- Protéines : 21,1 g
- Hydrates de carbone : 0 g
- Matières grasses : 15,8 g
- Cholestérol : 80 mg
- Sodium : 102 mg
- Fibres : 0 g

## Salage et marinade

Salez abondamment les filets de maquereau et laissez-les reposer de 2 à 6 heures, au réfrigérateur. Rincez-les ensuite à l'eau, puis mettez-les à mariner entre 30 minutes et 2 heures.

Pour chaque tasse (250 ml) de vinaigre, ajoutez 30 ml (2 c. à soupe) de sucre.

## Ormeau

Nom japonais : awabi

Mollusque marin, il est aussi, parfois, appelé oreille de mer à cause de sa forme qui évoque celle de cet organe. La couleur de sa chair va du pêche/gris au jaune rosâtre; elle est tendre quoiqu'un peu caout-chouteuse, mais néanmoins succulente. L'awabi-zushi est réputé pour être un des grands chouchous des connaisseurs de sushis!

L'ormeau est à son meilleur du mois d'avril au mois de juin et tout à fait divin avec du wasabi et de la sauce soya. À cet égard, et pour qu'il retienne la saveur de cette dernière, il convient de faire de légères incisions (peu profondes) sur la chair d'awabi qui garnira la boulette de riz sushi.

### Valeur nutritive
*Cru, 4 onces (120 g)*

- Calories : 119
- Protéines : 19,4 g
- Hydrates de carbone : 6,8 g
- Matières grasses : 0,9 g
- Cholestérol : 96 mg
- Sodium : 341 mg
- Fibres : 0 g

## Oursin

Nom japonais : uni

L'oursin est un mollusque dont le test est garni de longs piquants un peu semblables à ceux d'un porc-épic et, à tout dire, il n'est guère appétissant à première vue. Pourtant, dans de nombreuses parties du monde, l'oursin est réputé pour être un des mets les plus délicats et les plus raffinés qui soient. Un des fruits de la mer parmi les plus hautement périssables, on en consomme tantôt la chair, tantôt les œufs, et tous deux sont sur le marché, frais, du mois d'août au mois d'avril. Vous pouvez par ailleurs vous les procurer déjà traités et conditionnés (chair et œufs), vendus dans des boîtes de bois ou encore en bocal, bien que la chair sous ce dernier emballage soit beaucoup moins savoureuse.

Si vous êtes un nouveau venu dans le vaste monde des sushis, n'allez surtout pas commencer par l'oursin! En effet, sa texture riche et huileuse en fait un sushi tout à fait distinct des autres, et si les inconditionnels des sushis le réclament à cor et à cri, la plupart des néophytes le scrutent avec suspicion quand ça n'est pas carrément avec une certaine répulsion.

La chair très molle de l'oursin requiert la palissade du gunkan-maki (sushi cuirassé) pour être retenue et ses œufs, dans le même type de sushi, sont souvent accompagnés d'un œuf cru de caille.

## Poulpe

Nom japonais : tako

Timide mollusque sans coquille, le poulpe (qui ne se consomme jamais cru), est de la même famille que la pieuvre et le calmar. Bien qu'il existe plusieurs variétés de poulpes, bien peu d'entre elles sont comestibles. Parce qu'il se nourrit notamment de crabe, de coquilles saint-jacques et de crevettes, ce mollusque est une denrée extrêmement riche en protéines et en minéraux. Importé congelé, il est en vente tout au long de l'année.

À l'achat, frais, les tentacules du poulpe, au nombre de huit (ce sont eux dont vous vous servirez), doivent être élastiques au toucher et rebondir quand vous les secouez. Légèrement cuits, ils sont ensuite finement tranchés pour garnir les sushis. Les tranches doivent être minces, car la chair du poulpe est plutôt dure. Cependant, bien qu'il offre une certaine dureté sous la dent, le poulpe demeure quand même, grâce au goût savoureux et unique de sa chair, un des mollusques préférés des connaisseurs de sushis.

NOTE : sur la boule de riz sushi, c'est le côté blanc de la chair du poulpe qui doit être apparent.

**Valeur nutritive**
*Cru, 4 onces (120 g)*

- Calories : 93
- Protéines : 16,9 g
- Hydrates de carbone : 2,5 g
- Matières grasses : 1,2 g
- Cholestérol : 55 mg
- Sodium : non disponible
- Fibres : 0 g

## Saumon

Nom japonais : sake

Aisément reconnaissable à son orangé éclatant, le saumon est un poisson qui se mange rarement — pour ne pas dire jamais — cru; il est toujours soit fumé, soit grillé.

Sa saveur de fumée et/ou de sucré est remarquable; la chair du saumon est succulente, toujours très tendre et elle fond dans la bouche.

Attention quand, dans un bar à sushis, vous commanderez un sushi de saumon en langue nippone ! Précisez qu'il s'agit d'un sushi sans quoi on vous servira peut-être un verre d'alcool étant donné que le mot saké désigne et l'alcool de riz et le poisson !

**Valeur nutritive**
*Cru, 4 onces (120 g)*

- Calories : 132
- Protéines : 22,6 g
- Hydrates de carbone : 0 g
- Matières grasses : 3,9 g
- Cholestérol : 59 mg
- Sodium : 76 mg
- Fibres : 0 g

Seiche : voir calmar.

## Thon

Nom japonais : maguro
(Thon gras : toro)

Les japonais désignent le thon sous l'appellation de maguro, et ce dernier est incontestablement le poisson le plus intimement lié aux sushis et, sans doute aussi, un des plus vendus dans les bars à sushis où on vous le sert cru. Doux et moelleux, son goût riche arrivera très certainement à vous séduire dès la première bouchée.

Abondant dans les eaux américaines, le thon frais est offert chez nous toute l'année. Cependant, c'est de novembre à février qu'il est sans conteste à son meilleur. Et bien que sa qualité et sa saveur, au printemps et à l'été, soient constantes dans les bars à sushis (et chez les poissonniers, bien sûr!), D'autres variétés de poissons vous sont offertes, de celles qui sont alors à l'apogée de leur sapidité.

Pour confectionner des sushis, on utilise essentiellement le ventre du thon et la chair maigre qui longe son arête dorsale. Les parties les plus grasses sont aussi les plus estimées des amateurs de sushis; on nomme chûtoro un morceau modérément gras de thon (rose pâle) et ôtoro celui qui en contient davantage (rose très clair), lequel se vend plus cher, car il est d'une tendreté qui rappelle l'onctuosité du beurre et qu'il fond littéralement dans la bouche. Quant à la chair qui longe l'épine dorsale, on l'appelle akami. Sa couleur d'un rouge variable est appétissante et sa chair maigre est idéale pour les personnes qui sont à la diète.

Parmi les trois parties énumérées ci-dessus, l'akami est sans doute le meilleur morceau à goûter si vous faites pour la première fois l'expérience de la viande crue.

### Valeur nutritive
*Cru (bluefin), 4 onces (120 g)*

- Calories : 163
- Protéines : 26,5 g
- Hydrates de carbone : 0 g
- Matières grasses : 5,6 g
- Cholestérol : 43 mg
- Sodium : 44 mg
- Fibres : 0 g

# 2ᵉ partie:

## La pratique

# Chapitre 5

# Quelques recettes de base

## Dashi

*Donne 250 ml (1 tasse)*

### Ingrédients

- 310 ml (1 1/4 tasse) d'eau
- de 60 ml à 125 ml (1/4 à 1/2 tasse) de flocons de bonite
- un morceau de kombu de 7,5cm$^2$ (3 po$^2$)

### Préparation

Nettoyez bien la kombu afin de la débarrasser de toutes ses impuretés. Incisez le morceau en quelques endroits afin de lui permettre de dégager un maximum de saveur.

Dans un petit chaudron, faites tremper la kombu dans l'eau de 30 minutes à 2 heures.

Au terme de cette période, posez le chaudron sur feu moyen. Sitôt que l'eau commence à bouillir, retirez la kombu afin d'éviter de brouiller le bouillon et de le rendre amer (voir kombu au Chapitre 3).

Réduisez la chaleur et ajoutez les flocons de bonite **sans remuer**.

Écumez soigneusement et retirez du feu quand reprend l'ébullition.

Laissez ensuite reposer jusqu'à ce que les flocons de bonite se déposent au fond du chaudron (environ 5 minutes).

Filtrez dans une passoire recouverte d'un coton à fromage et voilà, votre dashi est prêt.

NOTE: Les flocons de bonite peuvent être réutilisés pour confectionner un second bouillon.

### Valeur nutritive

- calories : 111
- protéines : 18,7 g
- hydrates de carbone : 2 g
- matières grasses : 2,6 g
- cholestérol : 0 mg
- sodium : 90 mg
- fibres : 1,0 g

# Gingembre mariné

## Ingrédients

- 250 ml (1 tasse) de gingembre épluché et coupé en fines tranches
- 30 ml (2 c. à soupe) de sel fin
- 125 ml (1/2 tasse) de vinaigre de riz
- 30 ml (2 c. à soupe) de sucre
- 60 ml (1/4 de tasse) d'eau
- Quelques gouttes de colorant rouge (facultatif)

## Préparation

Épluchez et tranchez le gingembre.

Déposez les tranches sur une passoire en bambou et saupoudrez de sel. Laissez dégorger une trentaine de minutes.

Dans un petit chaudron, versez le vinaigre, le sucre et l'eau. Portez à ébullition, retirez du feu et faites refroidir rapidement en déposant le petit chaudron dans un plus grand, contenant de l'eau froide pour éviter une trop grande évaporation. Ajoutez quelques gouttes de colorant rouge si vous désirez donner une couleur rosée aux tranches de gingembre.

Dans un autre chaudron, faites bouillir de l'eau et faites-y blanchir les tranches de gingembre.

Égouttez et déposez le gingembre dans le vinaigre sucré. Laissez mariner quelques jours avant de déguster.

**Valeur nutritive**
*Pour 250 ml (1 tasse)*

- calories : 160
- protéines : 1,6 g
- hydrates de carbone : 38,4 g
- matières grasses : 0,8 g
- cholestérol : 0 mg
- sodium : 1417 mg
- fibres : 2,0 g

# Kampyo sucré

*Pour 20 g (2/3 once) de kampyo*

Pour reconstituer le kampyo séché, lavez-le d'abord soigneusement sous l'eau courante. Déposez ensuite les bandelettes dans un bol et saupoudrez-les amplement de sel. Recouvrez-les d'eau et laissez-les tremper une douzaine d'heures.

Rincez ensuite le kampyo, puis faites-le bouillir une quinzaine de minutes ou jusqu'à ce qu'il soit ramolli et translucide en rajoutant de l'eau si nécessaire. Égouttez, puis préparez le bouillon ci-dessous :

## Ingrédients

- 500 ml (2 tasses) de dashi (voir recette ci-dessus)
- 22 ml (1 1/2 c. à soupe) de shôyu
- 22 ml (1 1/2 c. à soupe) de sucre
- 15 ml (1 c. à soupe) de mirin

## Préparation

Versez le dashi dans un chaudron, ajoutez le sucre et la sauce soya et faites de nouveau cuire le kampyo jusqu'à ce que le liquide soit presque entièrement évaporé. Ajoutez le mirin, mélangez délicatement, retirez du feu et laissez refroidir complètement le kampyo avant de le découper tel que requis dans la recette.

## Valeur nutritive

- calories : 340
- protéines : 40,6 g
- hydrates de carbone : 26,9 g
- matières grasses : 5,2 g
- cholestérol : 0 mg
- sodium : 1790 mg
- fibres : 2,3 g

# Lotus mariné

*Pour 125 ml (1/2 tasse)*

## Ingrédients

- 125 ml (1/2 tasse) de tranches de racine de lotus
- eau vinaigrée

## Pour le vinaigre sucré

- 125 ml (1/2 tasse) de vinaigre de riz
- 45 ml (3 c. à soupe) de sucre
- 1 pincée de sel

## Préparation

Portez les tranches de racine de lotus à ébullition dans de l'eau vinaigrée. Aussitôt que la couleur commence à changer, égouttez-les. Préparez ensuite le vinaigre sucré en chauffant le vinaigre, le sucre et le sel jusqu'à ce que sucre et sel soient dissous. Retirez du feu, laissez refroidir et mettez-y le lotus à mariner.

### Valeur nutritive

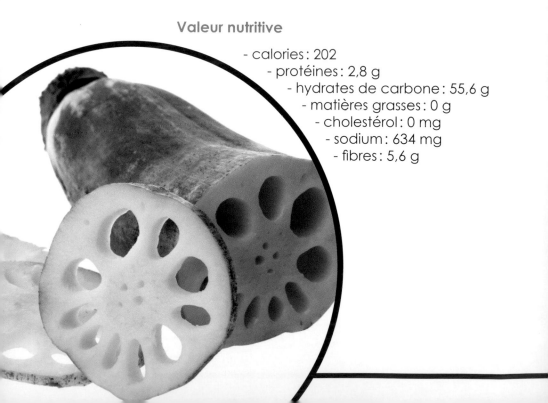

- calories : 202
- protéines : 2,8 g
- hydrates de carbone : 55,6 g
- matières grasses : 0 g
- cholestérol : 0 mg
- sodium : 634 mg
- fibres : 5,6 g

# Oboro

## Ingrédients

- 225 g (1 tasse) de chair
  de poisson blanc, hachée
- 15 ml (1 c. à soupe)
  de sucre
- 30 ml (2 c. à soupe)
  de saké
- colorant alimentaire rouge

## Préparation

Enveloppez la chair de poisson dans un linge et passez-le sous l'eau courante en tordant bien afin d'éliminer tout le gras. Rincez et essorez à deux ou trois reprises. Essorez une dernière fois afin d'ôter un maximum d'eau. Pilez le poisson dans un mortier.

Dans un petit bol, faites dissoudre le sucre dans le saké et quelques gouttes de colorant rouge. Versez sur la chair de poisson et pilez jusqu'à ce que la couleur soit uniforme.

Déposez le tout dans une poêle et cuisez à feu doux, en remuant constamment, jusqu'à ce que tout le liquide soit évaporé et que le poisson ait une apparence floconneuse.

Utilisez tel que requis dans la recette.

## Valeur nutritive

- calories : 284
- protéines : 43 g
- hydrates de carbone : 14,2 g
- matières grasses : 1,6 g
- cholestérol : 130 mg
- sodium : 157 mg
- fibres : 0 g

# Omelette mince

## Ingrédients

- 1 œuf
- 1 jaune d'œuf
- 1 pincée de sel
- 7,5 ml (1/2 c. à soupe) de sucre
- 2,5 ml (1/2 c. à thé) de fécule de maïs diluée
  dans un minimum d'eau
- un peu d'huile

## Préparation

Brisez l'œuf entier à la fourchette, ajoutez le jaune d'œuf, le sel, le sucre et la fécule et mélangez bien.

Préchauffez une poêle, huilez-la très légèrement et versez-y la 1/2 ou le 1/3 du mélange.

Sitôt que l'omelette est cuite, faites-la glisser sur une passoire plate, en bambou et laissez refroidir.

Utilisez tel qu'indiqué dans la recette.

**Valeur nutritive**
*Pour 1 feuille*

- calories : 81
- protéines : 4,5 g
- hydrates de carbone : 4 g
- matières grasses : 5 g
- cholestérol : 213 mg
- sodium : 330 mg
- fibres : 0 g

# Omelette épaisse

*Donne un rouleau de 8 x 15 cm x 1,5 cm d'épaisseur
(3 x 6 po x 5/8 de po d'épaisseur)*

*Le rouleau sera découpé en 15 tranches d'un centimètre
(3/8 de po) ou en 12 tranches de 1,5 cm (5/8 po)*

## Ingrédients

- 4 œufs entiers
- 60 ml (1/4 de tasse) de dashi
- 1 pincée de sel
- 60 ml (1/4 de tasse) de sucre
- 7,5 ml (1/2 c. à soupe) de mirin
- 15 ml (1 c. à soupe) de shôyu
- Glutamate monosodique (MSG/Accent) au goût

## Préparation

Dans un bol à mélanger, cassez les œufs et défaites-les à la four-chette. Dans un autre bol, mélangez bien tous les autres ingrédients et versez-les sur les œufs. Remuez légèrement à l'aide d'un fouet, mais sans battre.

À feu moyen, préchauffez une poêle carrée mesurant environ 15 x 23 cm (6 x 9 po). Huilez-la avec un morceau de coton ou de mousseline.

Versez ensuite un 1/3 du mélange d'œufs et inclinez votre poêle de façon à ce que le mélange en recouvre tout le fond.

Sitôt que l'omelette commence à durcir, repliez-en un 1/3 vers vous et repliez encore une fois afin de former 3 couches superposées.

Poussez l'omelette à l'extrémité de la poêle la plus éloignée de vous.

Graissez de nouveau la partie de la poêle restée libre et versez-y un autre 1/3 du mélange d'œufs en prenant soin de faire couler un peu de ce mélange sous l'omelette déjà cuite.

Sitôt que l'omelette commence à durcir, pliez-la une première fois, en 2 et rabattez le tout sur le premier rouleau.

Recommencez l'opération dans l'espace libéré de la poêle avec le dernier 1/3 du mélange d'œufs en prenant soin, encore une fois, de soulever l'omelette afin d'y faire couler du mélange d'œufs battus. Repliez de nouveau.

NOTE: Vous devez ensuite égaliser l'omelette. Il y a deux méthodes pour le faire.

Méthode 1: Alors qu'elle est encore chaude, pressez les côtés de l'omelette avec la lame d'un couteau afin d'en ajuster la forme.

Méthode 2: Alors qu'elle est encore chaude, transférez l'omelette sur un makisu (natte de bambou) et pressez pour en ajuster la forme. Faites tenir le makisu avec des élastiques et laissez en place jusqu'à ce que l'omelette soit parfaitement refroidie.

## Valeur nutritive

|  | tranche de 1 cm | tranche de 1,5 cm |
|---|---|---|
| - calories: | 36 | 45 |
| - protéines: | 2,1 g | 2,6 g |
| - hydrates de carbone: | 3,7 g | 4,6 g |
| - matières grasses: | 1,4 g | 1,7 g |
| - cholestérol: | 57 mg | 71 mg |
| - sodium: | 128 mg | 160 mg |
| - fibres: | 0 g | 0 g |

# Pousses de bambou assaisonnées

*Pour 60 ml (1/4 de tasse)*

## Ingrédients

- 60 ml (1/4 de tasse) de pousse de bambou en conserve, en tranches
- 250 ml (1 tasse) de dashi
- 5 ml (1 c. à thé) de mirin
- 15 ml (1 c à soupe) de sauce soya claire
- 10 ml (2 c. à thé) de sucre

## Préparation

Faites d'abord blanchir les pousses de bambou dans de l'eau bouillante pendant 2 minutes.

Dans un chaudron, disposez les tranches de pousse de bambou, puis versez-y le dashi, le mirin et la sauce soya. Ajoutez le sucre et mélangez bien. Faites mijoter jusqu'à ce que le bambou ait pris le goût de l'assaisonnement. Égouttez et laissez refroidir.

### Valeur nutritive

- calories : 165
- protéines : 21,3 g
- hydrates de carbone : 11,3 g
- matières grasses : 2,7 g
- cholestérol : 0 mg
- sodium : 1044 mg
- fibres : 2,0 g

# Sauce soya sucrée

*Pour 125 ml (1/2 tasse)*

## Ingrédients

- 125 ml (1/2 tasse) de shôyu
- 15 ml (1 c. à soupe) de saké
- 15 ml (1 c. à soupe) de mirin

## Préparation

Portez le saké et le mirin à ébullition afin de faire s'évaporer un peu l'alcool. Ajoutez la sauce soya et retirez du feu juste avant que la sauce atteigne le point d'ébullition. Laissez refroidir.

**Valeur nutritive**

- calories : 162
- protéines : 16 g
- hydrates de carbone : 18,1 g
- matières grasses : 0 g
- cholestérol : 0 mg
- sodium : 8175 mg
- fibres : 0 g

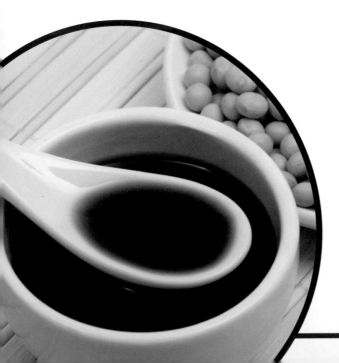

# Shiitakes glacés

## Ingrédients

- 3 shiitakes séchés
- 250 ml (1 tasse) d'eau de trempage
- 22 ml (1 1/2 c. à soupe) de saké
- 15 ml (1 c. à soupe) de sucre
- 22 ml (1 1/2 c. à soupe) de shôyu
- 22 ml (1 1/2 c. à soupe) de mirin

## Préparation

Disposez les champignons dans un chaudron.

Dans un bol, mélangez 250 ml (1 tasse) d'eau de trempage des shiitakes, le saké, le sucre et le shôyu.

Versez sur les champignons et faites mijoter le tout, à feu doux une trentaine de minutes ou jusqu'à ce qu'il n'y ait presque plus de liquide.

Versez ensuite le mirin et mélangez délicatement pour bien enrober les shiitakes et les glacer.

Retirez du feu, mais laissez refroidir dans le chaudron.

Découpez en fines tranches et utilisez tel que requis dans la recette.

NOTE : Certains cuisiniers incorporent le mirin en même temps que le saké, le sucre et la sauce soya.

**Valeur nutritive**
*Pour 1 champignon*

- calories : 55
- protéines : 1,3 g
- hydrates de carbone : 8,8 g
- matières grasses : 0 g
- cholestérol : 0 mg
- sodium : 553 mg
- fibres : 0,4 g

# Sauce teriyaki

*Donne 125 ml (1/2 tasse)*

## Ingrédients

- 125 ml (1/2 tasse) de sauce soya
- 30 ml (2 c. à soupe) de mirin
- 10 ml (2 c. à thé) de sel
- 2 gousses d'ail
- 60 ml (1/4 de tasse) de gingembre frais, râpé

## Préparation

Passez l'ail au presse-ail et mélangez tous les ingrédients.

## Valeur nutritive

- calories : 150
- protéines : 16,8 g
- hydrates de carbone : 6,6 g
- matières grasses : 0,2 g
- cholestérol : 0 mg
- sodium : 12 274 mg (ce n'est pas une erreur!)
- fibres : 0,6 g

# Chapitre 6

# Recettes de maki-zushis

## Technique de maki-zushis

Tout juste avant de débuter, un petit rappel de la technique.

1- Étendez votre makisu (bien sec), à plat devant vous et posez-y la feuille de nori, le côté brillant sur la natte — posez la feuille de nori de façon à ce que le maki-zushi, une fois roulé, ait une longueur de 18 cm (7 po).

2- Humectez vos mains dans l'eau vinaigrée, façonnez une boulette avec la quantité requise de riz, posez cette boulette sur la feuille de nori et étalez-la délicatement, sans trop presser et en prenant soin de laisser ± 2 cm (± ¾ po) de vide à l'extrémité la plus éloignée de vous ainsi qu'un petit espace de chaque côté afin d'éviter les débordements. Le riz devrait couvrir la feuille de nori avec une épaisseur d'environ 5 mm (1/8 de po).

3- Disposez ensuite les ingrédients tel qu'indiqué dans la recette ou encore selon votre fantaisie. Si vous le désirez, vous pouvez badigeonner très légèrement la bande vierge de nori de vinaigre de riz afin de faciliter la soudure du rouleau.

4- Roulez en soulevant le bord du makisu qui se trouve le plus près de vous, fermez le rouleau en pressant fermement, pressez ensuite chaque extrémité du rouleau, avec vos doigts, pour égaliser le maki-zushi et laissez reposer quelques minutes avant de découper.

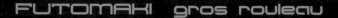

## Carotte, pois verts et shiitake

*Donne 8 bouchées*

### Ingrédients

- 1 feuille de nori
- 225 g (1 tasse) de riz sushi, cuit
- 5 ml (1 c. à thé) de wasabi
- 30 ml (2 c. à soupe) de carotte en petits dés
- 30 ml (2 c. à soupe) de pois verts frais
- 30 ml (2 c. à soupe) de fleur de chrysanthème jaune
- 1 shiitake glacé, finement tranché
  (voir chapitre 5 : Quelques recettes de base)

### Préparation

Faites blanchir carotte, pois verts et fleur de chrysanthème à l'eau bouillante. Égouttez parfaitement et mélangez.

Étalez le riz sur la feuille de nori et le wasabi sur le riz. Dispersez-y ensuite le mélange carotte, pois et fleur. Disposez les tranches de champignon au centre de la feuille et roulez à l'aide du makisu.

Coupez d'abord le rouleau en 2 et chaque moitié en 4.

**Valeur nutritive**
*Pour 1 portion*

- calories : 44
- protéines : 0,9 g
- hydrates de carbone : 9,5 g
- matières grasses : 0 g
- cholestérol : 0 mg
- sodium : 198 mg
- fibres : 0,5 g

# Crevettes, goberge et omelette

*Donne 8 bouchées*

## Ingrédients

- 1 feuille de nori
- 225 g (1 tasse) de riz sushi, cuit
- 5 ml (1 c. à thé) de wasabi
- 4 crevettes bouillies
- 1 bâtonnet de goberge à saveur de crabe
- 2 lanières de concombre japonais de 17,5 cm x 1cm
  (7 po x 3/8 po)
- 1 tranche de 1 cm (3/8 po) d'omelette épaisse
  (voir chapitre 5 : Quelques recettes de base)
- 1 feuille de laitue coupée en julienne
- 15 ml (1 c. à soupe) de graines de sésame grillées

## Préparation

Faites bouillir les crevettes tel qu'indiqué dans le chapitre des poissons.

Coupez la tranche d'omelette en 2.

Étalez le riz sur la feuille de nori et le wasabi sur le riz. Disposez-y ensuite les crevettes, le goberge, la laitue, les lanières de concombre et l'omelette. Saupoudrez de graines de sésame grillées et roulez à l'aide du makisu.

Coupez d'abord le rouleau en 2 et chaque moitié en 4.

## Valeur nutritive
*Pour 1 portion*

- calories : 57
- protéines : 2,3 g
- hydrates de carbone :
  9,5 g
- matières grasses : 1 g
- cholestérol : 13 mg
- sodium : 172 mg
- fibres : 0,6 g

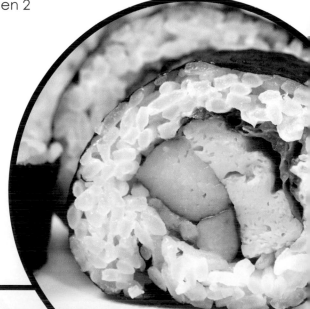

# Épinards, sardines et omelette

*Donne 8 bouchées*

## Ingrédients

- 1 feuille de nori
- 225 g (1 tasse) de riz sushi, cuit
- 1/2 feuille d'omelette mince, coupée en bandes
- 30 g (1 once) de sardines
- 1/2 paquet d'épinards
- 4 fines lanières de poivron rouge
- 4 fines lanières de poivron jaune

## Préparation

Cuisez les épinards et égouttez parfaitement.

Étalez le riz sur la feuille de nori. Disposez-y les bandes d'omelette, les sardines, puis les épinards et le poivron rouge et jaune de chaque côté. Roulez à l'aide du makisu.

Coupez d'abord le rouleau en 2 et chaque moitié en 4.

**Valeur nutritive**
*Pour 1 portion*

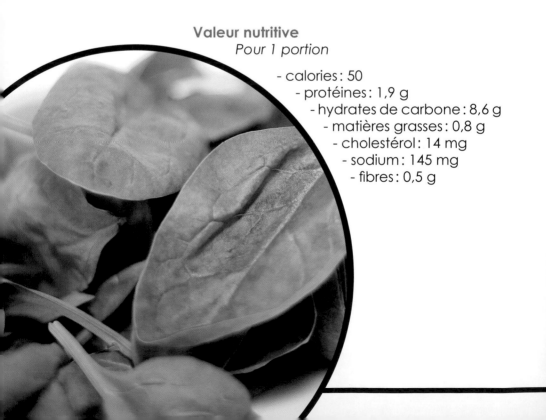

- calories : 50
- protéines : 1,9 g
- hydrates de carbone : 8,6 g
- matières grasses : 0,8 g
- cholestérol : 14 mg
- sodium : 145 mg
- fibres : 0,5 g

# Fruits de mer, concombre et omelette

*Donne 8 bouchées*

## Ingrédients

- 1 feuille de nori
- 225 g (1 tasse) de riz sushi, cuit
- 15 ml (1 c. à soupe) d'œufs de saumon rouge
- 15 ml (1 c. à soupe) de caviar noir
- 2 crevettes
- 2 pattes de crabe, cuites
- 4 bâtonnets de concombre japonais de 17,5 cm x 1cm (7 po x 3/8 po)
- 1 tranche de 1,5 cm (5/8 po) d'omelette épaisse (voir chapitre 5: Quelques recettes de base)

## Préparation

Faites bouillir les crevettes tel qu'indiqué dans le chapitre des poissons.

Tranchez le concombre japonais en 2, sur la longueur. Coupez une 1/2 en 4 bâtonnets.

Coupez la tranche d'omelette en 2.

Étalez le riz sur la feuille de nori. Dispersez-y les œufs de saumon rouge et le caviar noir. Disposez ensuite les autres ingrédients au centre de la feuille. Roulez à l'aide du makisu.

Coupez d'abord le rouleau en 2 et chaque moitié en 4.

## Valeur nutritive
*Pour 1 portion*

- calories: 66
- protéines: 5,0 g
- hydrates de carbone: 9 g
- matières grasses: 0,9 g
- cholestérol: 36 mg
- sodium: 332 mg
- fibres: 0,4 g

# Kampyo, shiitake et omelette

*Donne 8 bouchées*

## Ingrédients

- 1 feuille de nori
- 225 g (1 tasse) de riz sushi, cuit
- 10 g (1/3 once) de kampyo sucré
  (voir chapitre 5 : Quelques recettes de base)
- 3 shiitake glacés (voir chapitre 5 : Quelques recettes de base)
- 80 ml (1/3 de tasse) d'oboro
- 1 tranche de 1,5 cm (5/8 po) d'omelette épaisse
  (voir chapitre 5 : Quelques recettes de base)
- 5 branches de persil italien (ou de mitsuba)

## Préparation

Reconstituez le kampyo et les shiitake tel qu'indiqué dans la recette de base. Égouttez. Coupez les champignons en 2 et tranchez-les.

Préparez l'oboro et l'omelette tel qu'indiqué dans la recette de base. Coupez la tranche d'omelette en bâtonnets.

Hachez le persil.

Étalez le riz sur la feuille de nori. Disposez ensuite tous les ingrédients au centre de la feuille.

Tenez l'ensemble des ingrédients avec vos doigts pour éviter qu'ils se déplacent et roulez à l'aide du makisu.

Coupez d'abord le rouleau en 2 et chaque 1/2 en 4.

**Valeur nutritive**
*Pour 1 portion*

- calories : 74
- protéines : 3,3 g
- hydrates de carbone : 12,7 g
- matières grasses : 0,3 g
- cholestérol : 14 mg
- sodium : 356 mg
- fibres : 0,5 g

# Œufs de saumon et légumes

*Donne 8 bouchées*

## Ingrédients

- 1 feuille de nori
- 225 g (1 tasse) de riz sushi, cuit
- 45 ml (3 c. à soupe) d'œufs de saumon
- 2 bâtonnets de carotte de 17,5 cm x 1 cm (7 po x 3/8 po)
- 2 bâtonnets de concombre japonais de 17,5 cm x 1 cm (7 po x 3/8 po)
- 1 feuille de laitue coupée en julienne
- 15 ml (1 c. à soupe) d'échalote hachée

## Préparation

Étalez le riz sur la feuille de nori et dispersez-y les œufs de saumon.

Disposez les bâtonnets de carotte et de concombre en alternant. Ajoutez la julienne de laitue, saupoudrez d'échalote hachée et roulez à l'aide du makisu.

Coupez d'abord le rouleau en 2 et chaque 1/2 en 4.

**Valeur nutritive**
*Pour 1 portion*

- calories : 52
- protéines : 1,9 g
- hydrates de carbone : 8,7 g
- matières grasses : 0,6 g
- cholestérol : 21 mg
- sodium : 239 mg
- fibres : 0,5 g

# Poisson blanc, omelette et ciboulette

*Donne 8 bouchées*

## Ingrédients

- 1 feuille de nori
- 225 g (1 tasse) de riz sushi, cuit
- 50 g (1 3/4 once) de filet de poisson blanc
- 30 ml (2 c. à soupe) de sauce teriyaki
  (voir chapitre 5 : Quelques recettes de base)
- 1 tranche de 1 cm (3/8 po) d'omelette épaisse
  (voir chapitre 5 : Quelques recettes de base)
- 1 bâtonnet de concombre japonais de 17,5 cm x 1 cm
  (7 po x 3/8 po)
- 2 bâtonnets de carotte de 17,5 cm x 1 cm (7 po x 3/8 po)
- 15 ml (1 c. à soupe) de ciboulette hachée

## Préparation

Faites d'abord mariner le poisson dans la sauce teriyaki pendant
1 heure. Faites-le ensuite frire dans une poêle, dans un peu de sauce.
Rajoutez de la sauce au besoin. Découpez le poisson en morceaux
de 5 cm de long x 2 cm de large (2 po x 3/4 po).

Faites blanchir légèrement les carottes pour les attendrir. Égouttez.

Coupez l'omelette sur le long en 2 bandes.

Étalez le riz sur la feuille de nori. Disposez-y ensuite le poisson, l'omelette, le bâtonnet de concombre et ceux de carotte. Saupoudrez
de ciboulette hachée et roulez à l'aide du makisu.

Coupez d'abord le rouleau en 2 et chaque moitié en 4.

**Valeur nutritive**
*Pour 1 portion*

- calories : 55
- protéines : 2,2 g
- hydrates de carbone : 10,6 g
- matières grasses : 0,3 g
- cholestérol : 11 mg
- sodium : 251 mg
- fibres : 0,5 g

# Saucisse, concombre et fromage

*Donne 8 bouchées*

## Ingrédients

- 1 feuille de nori
- 225 g (1 tasse) de riz sushi, cuit
- 1 saucisse viennoise cuite
- 1 bâtonnet de concombre japonais de 17,5 cm x 1 cm (7 po x 3/8 po)
- 1 bâtonnet de fromage cheddar, de 17,5 cm x 1 cm (7 po x 3/8 po)
- 7,5 ml (1/2 c. à soupe) de graines de sésame grillées

## Préparation

Tranchez la saucisse sur la longueur et tranchez de nouveau pour en faire des bâtonnets.

Étalez le riz sur la feuille de nori. Disposez-y ensuite la saucisse, le concombre et le fromage. Saupoudrez de graines de sésame grillées et roulez à l'aide du makisu.

Coupez d'abord le rouleau en 2 et chaque 1/2 en 4.

## Valeur nutritive
*Pour 1 portion*

- calories : 53
- protéines : 1,5 g
- hydrates de carbone : 8,4 g
- matières grasses : 1,4 g
- cholestérol : 4 mg
- sodium : 145 mg
- fibres : 0,5 g

# Saumon et légumes

## Ingrédients
- 1 feuille de nori
- 225 g (1 tasse) de riz sushi, cuit
- 5 ml (1 c. à thé) de wasabi
- 100 g (3 1/2 once) de saumon frais, cuit à la vapeur
- 7,5 ml (1/2 c. à soupe) de mayonnaise
- 2 tranches d'avocat de 8,75 cm x 1 cm (3 ½ po x 3/8 po)
- Quelques gouttes de jus de citron
- 2 feuilles de laitue coupée en lanières
- 1 bâtonnet de carotte de 17,5 cm x 1 cm (7 po x 3/8 po)
- 15 ml (1 c. à soupe) d'échalote hachée

## Préparation

Défaites le saumon à la fourchette et ajoutez-y la mayonnaise.

Tranchez les lanières d'avocat et arrosez d'un peu de jus de citron.

Étalez le riz sur la feuille de nori et le wasabi sur le riz. Disposez-y ensuite le saumon, l'avocat, la laitue et la carotte. Saupoudrez d'échalote hachée et roulez à l'aide du makisu.

Coupez d'abord le rouleau en 2 et chaque 1/2 en 4.

## Valeur nutritive
*Pour 1 portion*

- calories : 82
- protéines : 3,7 g
- hydrates de carbone : 8,9 g
- matières grasses : 3,4 g
- cholestérol : 8 mg
- sodium : 142 mg
- fibres : 0,7 g

## Carotte, épinard et oboro

### Ingrédients
- 1/2 feuille de nori
- 112,5 g (1/2 tasse) de riz sushi, cuit
- 1/4 de paquet d'épinards
- 2 bâtonnets de carotte de 17,5 cm x 1 cm (7 po x 3/8 po)

### Préparation

Cuisez les épinards et égouttez parfaitement.

Faites blanchir les bâtonnets de carotte afin de les attendrir un peu.

Étalez le riz sur la feuille de nori. Disposez-y ensuite l'oboro, les épinards et les bâtonnets de carotte. Roulez à l'aide du makisu.

Découpez-en 6 tronçons.

### Valeur nutritive
*Pour 1 portion*

- calories : 27
- protéines : 0,6 g
- hydrates de carbone : 6 g
- matières grasses : 0 g
- cholestérol : 0 mg
- sodium : 84 mg
- fibres : 0,4 g

# Épinards et thon

*Donne 6 bouchées*

## Ingrédients

- 1/2 feuille de nori
- 112,5 g (1/2 tasse) de riz sushi, cuit
- 1/4 de paquet d'épinards
- 60 g (2 once) de thon en conserve
- 5 ml (1 c. à thé) de mayonnaise

## Préparation

Égouttez soigneusement le thon et ajoutez-y la mayonnaise.

Cuisez les épinards et égouttez parfaitement.

Étalez le riz sur la feuille de nori. Disposez ensuite le thon et, de chaque côté du thon, les épinards. Roulez à l'aide du makisu.

Découpez-en 6 tronçons.

## Valeur nutritive
*Pour 1 portion*

- calories : 41
- protéines : 3 g
- hydrates de carbone : 5,4 g
- matières grasses : 0,7 g
- cholestérol : 5 mg
- sodium : 128 mg
- fibres : 0,3 g

# Kampyo

## Ingrédients

- 1/2 feuille de nori
- 112,5 g (1/2 tasse) de riz sushi, cuit
- 7 g (1/4 once) de kampyo reconstitué
  (voir chapitre 5 : Quelques recettes de base)

## Préparation

Reconstituez le kampyo tel qu'indiqué dans la recette de base.

Étalez le riz sur la feuille de nori. Déposez-y les lanières de kampyo. Roulez à l'aide du makisu.

Découpez-en 6 tronçons.

**Valeur nutritive**
*Pour 1 portion*

- calories : 44
- protéines : 2,9 g
- hydrates de carbone : 7 g
- matières grasses : 0,3 g
- cholestérol : 0 mg
- sodium : 185 mg
- fibres : 0,3 g

# Thon cru

*Donne 6 bouchées*

## Ingrédients

- 1/2 feuille de nori
- 112,5 g (1/2 tasse) de riz sushi, cuit
- 15 g (1/2 once) de thon cru
- 2,5 ml (1/2 c. à thé) de wasabi

## Préparation

Coupez le thon en fines lanières de la largeur de la feuille de nori (1,5 cm (1/2 po) d'épaisseur).

Étalez le riz sur la feuille de nori et le wasabi sur le riz. Déposez-y les lanières de thon. Roulez à l'aide du makisu.

Découpez-en 6 tronçons.

**Valeur nutritive**
*Pour 1 portion*

- calories : 27
- protéines : 1 g
- hydrates de carbone : 5,4 g
- matières grasses : 0,1 g
- cholestérol : 1 mg
- sodium : 89 mg
- fibres : 0,2 g

# Thon et légumes

*Donne 6 bouchées*

## Ingrédients

- 1/2 feuille de nori
- 112,5 g (1/2 tasse)
  de riz sushi, cuit
- 2,5 ml (1/2 c. à thé)
  de wasabi
- 15 g (1/2 once) de thon cru
- 2 tranches d'avocat
  de 8,75 cm (3 1/2 po)
- Quelques gouttes de jus de citron
- 15 ml (1 c. à soupe)
  d'échalote verte hachée

## Préparation

Coupez le thon en fines lanières de la largeur de la feuille de nori (1,5 cm (1/2 po) d'épaisseur).

Étalez le riz sur la feuille de nori et le wasabi sur le riz. Déposez-y les lanières de thon.

Pelez, dénoyautez et tranchez l'avocat. Arrosez d'un peu de jus de citron.

Saupoudrez d'échalote hachée et roulez à l'aide du makisu.

Découpez-en 6 tronçons.

### Valeur nutritive
*Pour 1 portion*

- calories : 44
- protéines : 1,2 g
- hydrates de carbone : 6,1 g
- matières grasses : 1,7 g
- cholestérol : 0,9 mg
- sodium : 87 mg
- fibres : 0,5 g

Rappel de la technique. Le maki-zushi inversé est un maki-zushi dont la feuille de nori se retrouve à l'intérieur du rouleau tandis que le riz se trouve à l'extérieur.

Pour faire le maki-zushi inversé, posez d'abord votre makisu à plat et recouvrez-le d'une pellicule plastique. Posez-y la feuille de nori. Étalez ensuite le riz sur la feuille de nori et retournez le tout de façon à ce que le riz soit sur la pellicule plastique.

Garnissez ensuite le rouleau tel qu'indiqué dans la recette et roulez comme pour le maki-zushi ordinaire. Retirez ensuite la pellicule de plastique et tranchez.

La plupart des rouleaux inversés sont ensuite roulés à moitié dans une garniture, comme du persil haché, des graines de sésame grillées ou encore des œufs de poisson.

## FUTOMAKIS Inversés

## Omelette et légumes

*Donne 8 bouchées*

### Ingrédients

- 1 feuille de nori
- 2250 g (1 tasse) de riz sushi, cuit
- 8 bâtonnets de concombre japonais de 17,5 cm x 1 cm
  (7 po x 3/8 po)

- 2 fines tranches de daïkon de 17,5 cm (7 po)
- 2 shiitake glacés (voir chapitre 5 : Quelques recettes de base)
- 30 ml (2 c. à soupe) de gingembre rouge mariné
  (voir chapitre 5 : Quelques recettes de base)
- 1 tranche de 1 cm (3/8 po) d'omelette épaisse
  (voir chapitre 5 : Quelques recettes de base)
* 30 ml (2 c. à soupe) de shiso finement haché

## Préparation

Faites blanchir le daïkon dans de l'eau bouillante salée.

Cuisez les champignons tel qu'indiqué dans la recette de base et tranchez-les.

Coupez la tranche d'omelette en 2.

Couvrez le makisu d'une pellicule plastique. Posez-y la feuille de nori et recouvrez-la de riz. Retournez.

Disposez ensuite, sur la feuille de nori, 4 bâtonnets de concombre, le daïkon, les shiitake, le gingembre mariné, l'omelette et le reste des bâtonnets de concombre. Roulez à l'aide du makisu.

Retirez la pellicule plastique, roulez une partie du rouleau dans les flocons de shiso haché.

Coupez ensuite le rouleau en 2 et chaque 1/2 en 4.

**Valeur nutritive**
*Pour 1 portion*

- calories : 60
- protéines : 1,5 g
- hydrates de carbone : 12 g
- matières grasses : 0,2 g
- cholestérol : 7 mg
- sodium : 299 mg
- fibres : 0,6 g

# Saumon, concombre et champignons

*Donne 8 bouchées*

## Ingrédients

- 1 feuille de nori
- 225 g (1 tasse) de riz sushi, cuit
- 100 g (3 1/2 once) de saumon en conserve
- 15 ml (1 c. à soupe) de graines de sésame grillées
- 4 bâtonnets de concombre japonais de 17,5 cm x 1 cm (7 po x 3/8po)
- 2 feuilles d'épinard
- 2 champignons blancs moyens
- 60 ml (1/4 de tasse) de persil haché

## Préparation

Égouttez le saumon et retirez les arêtes et la peau. Hachez les feuilles d'épinard en julienne. Coupez les champignons en 2, puis tranchez-les.

Couvrez le makisu d'une pellicule plastique. Posez-y la feuille de nori et recouvrez-la de riz. Retournez.

Disposez ensuite, sur la feuille de nori, le saumon en conserve sur lequel vous parsèmerez les graines de sésame grillées.

De chaque côté du saumon, disposez la 1/2 des concombres, des épinards et des tranches de champignons.

Roulez à l'aide du makisu. Retirez la pellicule plastique, roulez une partie du rouleau dans le persil haché. Coupez ensuite le rouleau en 2 et chaque 1/2 en 4.

## Valeur nutritive
*Pour 1 portion*

- calories : 73
- protéines : 4,1 g
- hydrates de carbone : 9 g
- matières grasses : 2,4 g
- cholestérol : 9 mg
- sodium : 183 mg
- fibres : 0,8 g

# Saumon fumé, Fromage et concombre

## Ingrédients

- 1 feuille de nori
- 225 g (1 tasse) de riz sushi, cuit
- 4 fines lanières de poivron jaune
- 15 ml (1 c. à soupe) de ciboulette hachée
- 2 bâtonnets de concombre japonais de 17,5 cm x 1cm (7 po x 3/8 po)
- 6 fines tranches de saumon fumé
- 2 lanières de fromage frais (de type neufchâtel) de 17,5 cm x 1/2 cm (7 po x 3/16 po)
- 15 ml (1 c. à soupe) de graines de sésame grillées

## Préparation

Couvrez le makisu d'une pellicule plastique. Posez-y la feuille de nori et recouvrez-la de riz. Retournez.

Disposez ensuite, sur la feuille de nori, les lanières de poivron jaune et saupoudrez de ciboulette hachée. Recouvrez de saumon fumé et disposez les lanières de fromage frais et les bâtonnets de concombre de chaque côté. Roulez à l'aide du makisu.

Retirez la pellicule plastique, roulez une partie du rouleau dans les graines de sésame.

Coupez ensuite le rouleau en 2 et chaque 1/2 en 4.

**Valeur nutritive**
*Pour 1 portion*

- calories : 89
- protéines : 4,8 g
- hydrates de carbone : 8,7 g
- matières grasses : 3,7 g
- cholestérol : 11 mg
- sodium : 278 mg
- fibres : 0,7 g

# Jambon et ananas

*Donne 6 bouchées*

## Ingrédients

- 1/2 feuille de nori
- 112,5 g (1/2 tasse)
  de riz sushi, cuit
- 50 g (2 once) de jambon cuit
- 1 tranche d'ananas
  en conserve
- 1/4 de paquet d'épinards

## Préparation

Cuisez les épinards et égouttez parfaitement.

Égouttez la tranche d'ananas et défaites-la en segments.

Tranchez le jambon en lanières.

Étalez le riz sur la feuille de nori. Disposez-y ensuite le jambon, les ananas et les épinards. Roulez à l'aide du makisu.

Découpez-en 6 tronçons.

## Valeur nutritive
*Pour 1 portion*

- calories : 39
- protéines : 2 g
- hydrates de carbone : 7,1 g
- matières grasses : 0,2 g
- cholestérol : 4 mg
- sodium : 181 mg
- fibres : 0,2 g

# Steak, daïkon et poivron vert

*Donne 8 bouchées*

## Ingrédients
- 1 feuille d'omelette fine
  (voir chapitre 5 : Quelques recettes de base)
- 225 g (1 tasse) de riz sushi, cuit
- 50 g (1 3/4 once) de steak d'aloyau en fines languettes
  ou tranches minces
- 15 ml (1 c. à soupe) de sauce teriyaki
  (voir chapitre 5 : Quelques recettes de base)
- 4 tiges de ciboulette
- 1 fine tranche de daïkon de 17,5 cm x 1 cm (7 po x 3/8 po)
- 4 fines lanières de poivron vert
- 15 ml (1 c. à soupe) de graines de sésame grillées

## Préparation

Faites mariner l'aloyau dans la sauce teriyaki pendant 1 heure ou davantage si vous disposez de temps. Cuisez le steak dans la sauce.

Tranchez le daïkon et faites-le blanchir dans de l'eau bouillante salée afin de l'attendrir. Coupez l'omelette du même format qu'une feuille de nori. Couvrez le makisu d'une pellicule plastique. Posez-y la feuille d'omelette et recouvrez-la de riz. Retournez.

Disposez ensuite, sur la feuille d'omelette, les tranches d'aloyau mariné, les tiges de ciboulette, la tranche de daïkon et les lanières de poivron vert. Roulez à l'aide du makisu.

Retirez la pellicule plastique, roulez une partie du rouleau dans les graines de sésame. Coupez ensuite le rouleau en 2 et chaque 1/2 en 4.

## Valeur nutritive
*Pour 1 portion*

- calories : 72
- protéines : 3,3 g
- hydrates de carbone : 9,7 g
- matières grasses : 2 g
- cholestérol : 32 mg
- sodium : 219 mg
- fibres : 0,5 g

## Crevettes et omelette

*Donne 6 bouchées*

### Ingrédients

- 1/2 feuille d'omelette fine
  (voir chapitre 5 : Quelques recettes de base)
- 112,5 g (1/2 tasse) de riz sushi, cuit
- 2,5 ml (1/2 c. à thé) de wasabi
- 4 crevettes bouillies tel qu'indiqué dans le chapitre des poissons.
- 2 bâtonnets de concombre japonais de 17,5 cm x 1 cm
  (7 po x 3/8 po)
- 15 ml (1 c. à soupe) de graines de sésame grillées
- 15 ml (1 c. à soupe) de graines de sésame

### Préparation

Faites bouillir les crevettes.

Couvrez le makisu d'une pellicule plastique. Posez-y la demi-feuille de nori et recouvrez-la de riz. Retournez.

Étalez le wasabi sur la nori et disposez-y ensuite les crevettes et les bâtonnets de concombre. Roulez à l'aide du makisu.

Retirez la pellicule plastique, roulez une partie du rouleau dans les graines de sésame.

Découpez-en 6 tronçons.

**Valeur nutritive**
*Pour 1 portion*

- calories : 55
- protéines : 2 g
- hydrates de carbone : 6,7 g
- matières grasses : 2,3 g
- cholestérol : 7 mg
- sodium : 94 mg
- fibres : 0,9 g

# Kampyo et poivron rouge

## Ingrédients

- 1/2 feuille de nori
- 112,5 g (1/2 tasse) de riz sushi, cuit
- 2,5 ml (1/2 c. à thé) de wasabi
- 4 rubans de kampyo glacés
  (voir chapitre 5: Quelques recettes de base)
- 22 ml (1 1/2 c. à soupe) de poivron rouge en petits cubes
- 22 ml (1 1/2 c. à soupe) de poivron vert en petits cubes
- 30 ml (2 c. à soupe) de caviar noir

## Préparation

Couvrez le makisu d'une pellicule plastique. Posez-y la demi-feuille de nori et recouvrez-la de riz. Retournez.

Étalez le wasabi sur la nori et disposez-y ensuite les rubans de kampyo. Mélangez le poivron rouge et le poivron vert et parsemez sur le kampyo.

Roulez à l'aide du makisu.

Retirez la pellicule plastique, roulez une partie du rouleau dans le caviar noir.

Découpez-en 6 tronçons.

**Valeur nutritive**
*Pour 1 portion*

- calories: 66
- protéines: 5,2 g
- hydrates de carbone: 8 g
- matières grasses: 1,4 g
- cholestérol: 31 mg
- sodium: 314 mg
- fibres: 0,5 g

# Thon et avocat

*Donne 6 bouchées*

## Ingrédients

- 1/2 feuille de nori
- 112,5 g (1/2 tasse) de riz sushi, cuit
- 2,5 ml (1/2 c. à thé) de wasabi
- 30 g (1 once) de thon
- 2 tranches d'avocat de 8,75 cm (3 1/2 po)
- 15 ml (1 c. à soupe) de persil haché
- 15 ml (1 c. à soupe) de graines de sésame

## Préparation

Couvrez le makisu d'une pellicule plastique. Posez-y la demi-feuille de nori et recouvrez-la de riz. Retournez.

Étalez le wasabi sur la nori et disposez-y ensuite le thon et les tranches d'avocat. Saupoudrez de persil haché et roulez à l'aide du makisu.

Retirez la pellicule plastique, roulez une partie du rouleau dans les graines de sésame.

Découpez-en 6 tronçons.

**Valeur nutritive**
*Pour 1 portion*

- calories : 60
- protéines : 2,3 g
- hydrates de carbone : 6,7 g
- matières grasses : 2,9 g
- cholestérol : 2 mg
- sodium : 108 mg
- fibres : 0,8 g

Voici à nouveau, un petit rappel de la technique.

## Technique numéro 1

1- Préparez vos garnitures.

2- Coupez une feuille de nori en 2 ou en 4 selon le format de témaki que vous désirez.

3- Déposez la feuille de nori dans votre main gauche, en diagonale, de façon à ce que le coin gauche inférieur de la feuille se trouve sur le « bombé » du pouce.

4- Disposez une petite quantité de riz sushi sur le côté gauche de la feuille, 20 ml (4 c. à thé) pour les 1/4 de feuille et 37 à 45 ml (2 1/2 à 3 c. à soupe) pour les 1/2).

5- Sur le riz, étalez un peu de wasabi et ajoutez de 1 à 3 ingrédients, à votre goût, selon la recette ou selon la grandeur de la feuille.

6- À l'aide de votre pouce gauche, repliez pour former un cône et roulez, un peu de biais, la feuille de nori, de gauche à droite.

7- Fermez le cône à l'aide d'un grain de riz écrasé.

8- Disposez sur un plateau.

1- Préparez vos garnitures.

2- Coupez une feuille de nori en 2 ou en 4 selon le format de témaki que vous désirez.

3- Déposez la feuille de nori dans le creux de votre main gauche.

4- Disposez une petite quantité de riz sushi sur le côté gauche de la feuille (20 ml (4 c. à thé) pour les 1/4 de feuille et de 37 à 45 ml (2 1/2 à 3 c. à soupe) pour les 1/2).

5- Sur le riz, étalez un peu de wasabi et ajoutez de 1 à 3 ingrédients, à votre goût, selon la recette ou selon la grandeur de la feuille. Laissez dépasser un peu quelques ingrédients.

6- Roulez de gauche à droite de façon à former un petit rouleau.

7- Fermez le rouleau à l'aide de quelques grains de riz écrasés.

8- Disposez sur un plateau.

Le témaki peut être enveloppé dans une feuille de nori, dans une feuille de bonite séchée, de laitue ou encore dans une feuille d'omelette.

## Asperge et bonite

*Donne 4 petits cornets*

### Ingrédients

- 1 feuille d'omelette mince
  (voir chapitre 5: Quelques recettes de base)
- 90 ml (1/3 de tasse) de riz sushi, cuit
- 1 carotte coupée en bâtonnets de 10 cm x 1 cm (4 po x 3/8 po)
- 4 asperges cuites
- 5 ml (1 c. à thé) de bonite séchée
- Quelques gouttes de sauce soya
- 15 ml (1 c. à soupe) de graines de sésame grillées

### Préparation

Découpez l'omelette du même format qu'une feuille de nori, c'est-à-dire 17,5 cm x 21 cm (7 po x 8 1/4 po). Récupérez les découpes et tranchez-les finement. Découpez la feuille d'omelette en 4.

Faites blanchir les bâtonnets de carotte afin de les attendrir. Faites cuire les asperges et coupez-les en 2.

Arrosez les flocons de bonite de quelques gouttes de sauce soya. Mélangez bien.

Divisez tous les ingrédients en 4 et façonnez en suivant 1 des 2 techniques.

### Valeur nutritive
*Pour 1 portion*

- calories: 72
- protéines: 3 g
- hydrates de carbone: 8,3 g
- matières grasses: 3,1 g
- cholestérol: 53 mg
- sodium: 184 mg
- fibres: 1,2 g

# Avocat et goberge

## Ingrédients

- 1 feuille de nori
- 90 ml (1/3 de tasse) de riz sushi, cuit
- 1 avocat dénoyauté, coupé en 8
- Quelques gouttes de jus de citron
- 2 bâtonnets de goberge à saveur de crabe
- 4 fines lanières de poivron jaune

## Préparation

Découpez la feuille de nori en 4.

Coupez l'avocat et arrosez les morceaux d'un peu de jus de citron.

Coupez les bâtonnets de goberge en 2.

Divisez tous les ingrédients en 4 et façonnez en suivant 1 des 2 techniques.

**Valeur nutritive**
*Pour 1 portion*

- calories : 115
- protéines : 3,1 g
- hydrates de carbone : 10,4 g
- matières grasses : 7,5 g
- cholestérol : 1 mg
- sodium : 173 mg
- fibres : 1,6 g

# Champignons et gingembre mariné

*Donne 4 petits cornets*

## Ingrédients

- 1 feuille de nori
- 90 ml (1/3 de tasse) de riz sushi, cuit
- 4 champignons blancs
- 4 feuilles de shiso
- 30 ml (2 c. à soupe) de gingembre mariné

## Préparation

Découpez la feuille de nori en 4.

Coupez chaque champignon en tranches fines

Divisez tous les ingrédients en 4 et façonnez en suivant 1 des 2 techniques.

**Valeur nutritive**
*Pour 1 portion*

- calories : 37
- protéines : 0,9 g
- hydrates de carbone : 7,4 g
- matières grasses : 0,1 g
- cholestérol : 0 mg
- sodium : 130 mg
- fibres : 0,5 g

# Concombre japonais

## Ingrédients

- 1 feuille de nori
- 90 ml (1/3 de tasse) de riz sushi, cuit
- 5 ml (1 c. à thé) de wasabi
- 8 bâtonnets de concombre japonais 17,5 cm (7 po)
- 10 ml (2 c. à thé) de graines de sésame grillées

## Préparation

Découpez la feuille de nori en 4.

Coupez le concombre japonais en 2 sur la largeur, puis de nouveau en 2, sur la longueur. Coupez chaque 1/4 en 4 bâtonnets.

Divisez tous les ingrédients en 4 et façonnez en suivant 1 des 2 techniques.

**Valeur nutritive**
*Pour 1 portion*

- calories : 45
- protéines : 1,4 g
- hydrates de carbone : 7,4 g
- matières grasses : 1,2 g
- cholestérol : 0 mg
- sodium : 99 mg
- fibres : 0,8 g

# Crevettes et concombre

*Donne 4 petits cornets*

## Ingrédients

- 1 feuille de nori
- 90 ml (1/3 de tasse) de riz sushi, cuit
- 5 ml (1 c. à thé) de wasabi
- 4 crevettes cuites
- 1 concombre japonais

## Préparation

Découpez la feuille de nori en 4.

Coupez le concombre japonais en 2 sur la largeur, puis de nouveau en 2, sur la longueur. Coupez chaque 1/4 en 4 bâtonnets.

Divisez tous les ingrédients en 4 et façonnez en suivant 1 des 2 techniques.

**Valeur nutritive**
*Pour 1 portion*

- calories : 37
- protéines : 2,1 g
- hydrates de carbone : 6,8 g
- matières grasses : 0,1 g
- cholestérol : 11 mg
- sodium : 111 mg
- fibres : 0,8 g

# Œufs brouillés et lotus mariné

*Donne 4 petits cornets*

## Ingrédients

- 1 feuille de nori
- 90 ml (1/3 de tasse) de riz sushi, cuit
- 60 ml (1/4 de tasse) d'œufs brouillés
- 6 rondelles de lotus mariné
  (voir chapitre 5: Quelques recettes de base)

## Préparation

Découpez la feuille de nori en 4.

Coupez les rondelles de lotus mariné en 2.

Divisez tous les ingrédients en 4 et façonnez en suivant 1 des 2 techniques.

**Valeur nutritive**
*Pour 1 portion*

- calories: 60
- protéines: 1,8 g
- hydrates de carbone: 12,7 g
- matières grasses: 0,6 g
- cholestérol: 27 mg
- sodium: 172 mg
- fibres: 1,1 g

# Sardines et persil

*Donne 4 petits cornets*

## Ingrédients

- 1 feuille de nori
- 90 ml (1/3 de tasse)
  de riz sushi, cuit
- 4 sardines
- 60 ml (1/4 de tasse)
  de persil haché

## Préparation

Découpez la feuille de nori
en 4.

Divisez tous les ingrédients en
4 et façonnez en suivant 1 des
2 techniques.

**Valeur nutritive**
*Pour 1 portion*

- calories : 54
- protéines : 3,7 g
- hydrates de carbone : 5,9 g
- matières grasses : 1,4 g
- cholestérol : 17 mg
- sodium : 147 mg
- fibres : 0,5 g

# Saumon et légumes

*Donne 4 petits cornets*

## Ingrédients

- 1 feuille de nori
- 90 ml (1/3 de tasse) de riz sushi, cuit
- 50 g (1 3/4 once) de saumon grillé
- 8 pois mange-tout
- 4 fines lanières de poivron jaune
- 5 ml (1 c. à thé) de graines de sésame grillées

## Préparation

Découpez la feuille de nori en 4.

Divisez tous les ingrédients en 4 et façonnez en suivant 1 des 2 techniques.

**Valeur nutritive**
*Pour 1 portion*

- calories : 62
- protéines : 3,8 g
- hydrates de carbone : 6,8 g
- matières grasses : 2,1 g
- cholestérol : 8 mg
- sodium : 92 mg
- fibres : 0,8 g

# Saumon et rondelles d'oignons

*Donne 4 petits cornets*

## Ingrédients

- 1 feuille de nori
- 90 ml (1/3 de tasse) de riz sushi, cuit
- 50 g (1 3/4 once) de saumon fumé
- 8 fines rondelles d'oignon rouge
- 4 lamelles d'avocat de 10 cm (4 po)
- Quelques gouttes de jus de citron

## Marinade

- 30 ml (2 c. à soupe) de vinaigre de riz
- 1 pincée de sel
- 1 goutte de saké
- 3 gouttes de shôyu

## Préparation

Faites macérer les rondelles d'oignon dans la marinade pendant une trentaine de minutes.

Découpez la feuille de nori en 4.

Divisez tous les ingrédients en 4 et façonnez en suivant 1 des 2 techniques.

**Valeur nutritive**
*Pour 1 portion*

- calories : 67
- protéines : 3,2 g
- hydrates de carbone : 7,1 g
- matières grasses : 3 g
- cholestérol : 3 mg
- sodium : 182 mg
- fibres : 0,9 g

## Crevettes et légumes

*Donne 2 gros cornets*

### Ingrédients

- 1 feuille de nori
- 90 ml (1/3 de tasse) de riz sushi, cuit
- 5 ml (1 c. à thé) de wasabi
- 4 bâtonnets de concombre de 10 cm x 1 cm (4 po x 3/8 po)
- 4 bâtonnets de carotte de 10 cm x 1 cm (4po x 3/8 po)
- 4 tranches de racine de lotus mariné
  (voir chapitre 5 : Quelques recettes de base)
- 4 crevettes bouillies tel qu'indiqué dans le chapitre des poissons

### Préparation

Découpez la feuille de nori en 2.

Faites blanchir les bâtonnets de carotte afin de les attendrir.

Faites bouillir les crevettes.

Divisez tous les ingrédients en 2 et façonnez en suivant 1 des 2 techniques.

**Valeur nutritive**
*Pour 1 portion*

- calories : 99
- protéines : 4,3 g
- hydrates de carbone : 20,8 g
- matières grasses : 0,1 g
- cholestérol : 21 mg
- sodium : 306 mg
- fibres : 2,2 g

# Ananas et jambon

## Ingrédients

- 1 feuille d'omelette mince
  (voir chapitre 5: Quelques recettes de base)
- 90 ml (1/3 de tasse) de riz sushi, cuit
- 1 tranche d'ananas en conserve, égouttée
- 1 tranche de jambon de 7 mm (1/4 po) d'épaisseur

## Préparation

Découpez l'omelette en 2.

Divisez la tranche d'ananas en 8 morceaux.

Découpez la tranche de jambon en 8 lanières.

Divisez tous les ingrédients en 2 et façonnez en suivant 1 des 2 techniques.

### Valeur nutritive
*Pour 1 portion*

- calories : 142
- protéines : 9 g
- hydrates de carbone : 17,7g
- matières grasses : 3,1 g
- cholestérol : 123 mg
- sodium : 720 mg
- fibres : 0,6 g

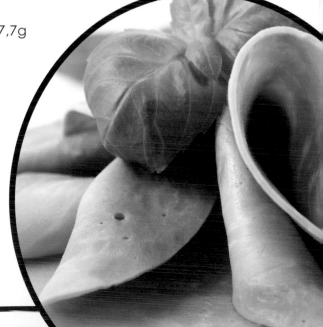

# Laitue et porc frais

*Donne 2 gros cornets*

## Ingrédients

- 1 feuille d'omelette mince (voir chapitre 5 : Quelques recettes de base)
- 90 ml (1/3 de tasse) de riz sushi, cuit
- 2 feuilles de laitue romaine
- 1 tranche de porc frais cuit de 7 mm (1/4 po) d'épaisseur
- 5 ml (1 c. à thé) de wasabi

## Préparation

Découpez l'omelette en 2 et les feuilles de laitue romaine en bandelettes.

Divisez tous les ingrédients en 2 et façonnez en suivant 1 des 2 techniques.

## Valeur nutritive
*Pour 1 portion*

- calories : 152
- protéines : 14,1 g
- hydrates de carbone : 12,7 g
- matières grasses : 4,3 g
- cholestérol : 141 mg
- sodium : 377 mg
- fibres : 0,5 g

# Poulet et cornichon

## Ingrédients

- 2 feuilles de laitue romaine
- 90 ml (1/3 de tasse) de riz sushi, cuit
- 4 morceaux de poitrine de poulet cuit de 10 cm x 1 cm d'épaisseur (4 po x 3/8 po)
- 45 ml (3 c. à soupe) de sauce teriyaki (voir chapitre 5 : Quelques recettes de base)
- 1 cornichon à l'ail « dill pickle »

## Préparation

Faites mariner le poulet dans la sauce teriyaki pendant 1 heure.

Tranchez le cornichon en 4.

Divisez tous les ingrédients en 2 et façonnez en suivant 1 des 2 techniques.

**Valeur nutritive**
*Pour 1 portion*

- calories : 193
- protéines : 18,5 g
- hydrates de carbone : 20,1 g
- matières grasses : 3,3 g
- cholestérol : 48 mg
- sodium : 988 mg
- fibres : 0,5 g

# Rosbif, avocat et daïkon

*Donne 2 gros cornets*

## Ingrédients

- 1 feuille de nori
- 90 ml (1/3 de tasse) de riz sushi, cuit
- 1 tranche de rosbif de 7 mm (1/4 po) d'épaisseur
- 5 ml (1 c. à thé) de wasabi
- 2 morceaux d'avocat de 10 cm (4 po)
- Quelques gouttes de jus de citron
- 2 fines lamelles de daïkon de 10 cm x 1 cm d'épaisseur (4 po x 3/8 po)

## Préparation

Découpez la feuille de nori en 2.

Découpez la tranche de rosbif en languettes.

Divisez tous les ingrédients en 2 et façonnez en suivant 1 des 2 techniques.

## Valeur nutritive
*Pour 1 portion*

- calories : 237
- protéines : 13,2 g
- hydrates de carbone : 15,8 g
- matières grasses : 14 g
- cholestérol : 32 mg
- sodium : 227 mg
- fibres : 2,5 g

# Rosbif et pois mange-tout

*Donne 2 gros cornets*

## Ingrédients

- 2 feuilles de laitue romaine
- 90 ml (1/3 de tasse) de riz sushi, cuit
- 2 tranches fines de rosbif
- 5 ml (1 c. à thé) de wasabi
- 16 pousses de pois mange-tout

## Préparation

Divisez tous les ingrédients en 2 et façonnez en suivant 1 des 2 techniques.

## Valeur nutritive
*Pour 1 portion*

- calories : 150
- protéines : 12,9 g
- hydrates de carbone : 12,8 g
- matières grasses : 4,8 g
- cholestérol : 35 mg
- sodium : 214 mg
- fibres : 0,5 g

# Saucisse et Fromage

*Donne 2 gros cornets*

## Ingrédients

- 1 feuille d'omelette mince
  (voir chapitre 5 : Quelques recettes de base)
- 90 ml (1/3 de tasse) de riz sushi, cuit
- 2 saucisses viennoises coupées en 2
- 2 bâtonnets de fromage neufchâtel

## Préparation

Découpez l'omelette en 2.

Divisez tous les ingrédients en 2 et façonnez en suivant 1 des 2 techniques.

**Valeur nutritive**
*Pour 1 portion*

- calories : 164
- protéines : 6,3 g
- hydrates de carbone : 12,6 g
- matières grasses : 9,2 g
- cholestérol : 134 mg
- sodium : 492 mg
- fibres : 0,3 g

# Chapitre 7

# Recettes de chirashis-zushis

Rappelez-vous, dès maintenant, que le riz destiné à faire le chirashi-zushi doit être à température de la pièce, car il est difficile de séparer les grains de ce type de riz lorsqu'il a été réfrigéré. L'idéal est de préparer tous les ingrédients requis dans la recette avant que le riz ait fini de cuire.

## Chirashis-zushis de fruits de mer et poisson

*Pour 2 personnes*

### Ingrédients
- 450 g (2 tasses) de riz sushi, cuit
- 10 mini pétoncles
- 2 grosses crevettes
- 112,5 g (1/2 tasse) de chair de crabe
- 1 filet moyen de poisson blanc, cuit
- 1/2 concombre japonais
- 1 shiitake glacé (voir chapitre 5 : Quelques recettes de base)
- 1 omelette mince de 22,5 cm (9 po)
  (voir chapitre 5 : Quelques recettes de base)
- 1/4 de feuille de nori grillée
- 15 ml (1 c. à soupe) de ciboulette hachée
- Quelques raisins

### Marinade

- 7,5 ml (1/2 c. à soupe) de vinaigre de riz
- 5 ml (1 c. à thé) de sucre
- 1 pincée de sel

## Préparation

Tranchez le concombre en fines tranches et déposez les rondelles sur une passoire. Saupoudrez généreusement de sel et laissez dégorger. Préparez ensuite la marinade et mettez-y le concombre à mariner de 30 à 45 minutes. Égouttez et réservez.

Cuisez les pétoncles et les crevettes tel qu'indiqué au chapitre des poissons.

Égouttez et défaites la chair de crabe en flocons et découpez le filet de poisson blanc en lanières.

Tranchez le champignon finement.

Pliez l'omelette en 2 et découpez-la en julienne.

Faites griller la nori et émiettez-la.

Mélangez délicatement le riz sushi avec les tranches de concombre, les pétoncles, les crevettes, la chair de crabe, les lanières de poisson et le shiitake.

Disposez sur 2 assiettes.

Divisez les raisins, les crevettes, la nori émiettée et la ciboulette en 2 et garnissez-en les assiettes.

**Valeur nutritive**
*Pour 1 portion*

- calories : 505
- protéines : 40,5 g
- hydrates de carbone : 71,4 g
- matières grasses : 3,8 g
- cholestérol : 199 mg
- sodium : 1986 mg
- fibres : 2,2 g

# Chirashis-zushis de saumon mariné

*Pour 2 personnes*

## Ingrédients

- 450 g (2 tasses) de riz sushi, cuit
- 150 g (5 1/4 once) de filet de saumon frais
- 60 ml (1/4 de tasse) de sel
- 3 fleurs de chrysanthème
- 60 ml (1/4 de tasse) de rondelles de racine de lotus marinées
  (voir chapitre 5 : Quelques recettes de base)

## Marinade 1

- 75 ml (5 c. à soupe) de vinaigre de riz
- 15 ml (1 c. à soupe) de sucre
- 1 pincée de sel

## Préparation

Disposez le saumon sur une passoire et saupoudrez largement de sel (60 ml (1/4 de tasse)). Réfrigérez 2 heures, puis rincez à l'eau. Faites ensuite macérer le saumon dans la marinade pendant 30 minutes. Égouttez, gardez la marinade et coupez ensuite en morceaux.

Portez de l'eau vinaigrée à ébullition et faites-y blanchir les pétales de chrysanthème. Égouttez, rincez et faites macérer 20 minutes dans la marinade.

Mélangez délicatement la 1/2 des ingrédients avec le riz.

Disposez sur 2 assiettes. Dispersez le reste des ingrédients sur le dessus du riz, en guise de garniture.

## Valeur nutritive
*Pour 1 portion*

- calories : 462
- protéines : 20,3 g
- hydrates de carbone : 76,5 g
- matières grasses : 8 g
- cholestérol : 44 mg
- sodium : 4695 mg
- fibres : 3,1 g

# Chirashis-zushis de poisson blanc, jambon et légumes

*Pour 2 personnes*

## Ingrédients

- 450 g (2 tasses) de riz sushi, cuit
- 60 ml (1/4 de tasse) d'oboro
  (voir chapitre 5 : Quelques recettes de base)
- 2 filets de poisson blanc, cuits
- 2 tranches moyennes de jambon
- 1/2 avocat moyen
- Quelques gouttes de jus de citron
- 6 olives farcies
- 5 ml (1 c. à thé) de ciboulette
- 15 ml (1 c. à soupe) de persil
- 2,5 ml (1/2 c. à thé) de romarin

## Vinaigrette

- 30 ml (2 c. à soupe) de vinaigre de vin rouge
- 22 ml (1 1/2 c. à soupe) d'huile d'olive
- 1/4 de citron (jus)
- 7,5 ml (1/2 c. à soupe) de sel
- Poivre au goût

## Préparation

Mélangez tous les ingrédients de la vinaigrette et ajoutez au riz en remuant délicatement.

Préparez l'oboro et réservez.

Découpez les filets de poisson en morceaux.

Découpez le jambon en fines lanières.

Dénoyautez l'avocat et coupez-en une 1/2 en petits cubes. Arrosez de jus de citron.

Tranchez les olives farcies.

Mélangez le poisson, le jambon, les cubes d'avocat, les olives farcies, la ciboulette et la 1/2 du persil et ajoutez au riz. Remuez délicatement.

Disposez sur 2 assiettes. Saupoudrez d'oboro, du reste du persil et du romarin.

**Valeur nutritive**
*Pour 1 portion*

- calories : 703
- protéines : 52,1 g
- hydrates de carbone : 71,2 g
- matières grasses : 22,3 g
- cholestérol : 138 mg
- sodium : 3931 mg
- fibres : 3 g

# Chirashis-zushis de saucisse, fruits de mer et légumes

*Pour 2 personnes*

## Ingrédients

- 450 g (2 tasses) de riz sushi, cuit
- 7,5 ml (1/2 c. à soupe) d'huile d'olive
- 60 ml (1/4 de tasse) de petits cubes de poitrine de poulet, crus
- 4 crevettes crues
- 80 ml (1/3 de tasse) de pétoncles crus
- 4 saucisses viennoises
- 2 tomates cerises
- 4 fines lanières de poivron rouge
- 4 fines lanières de poivron vert
- 2 feuilles de menthe
- 4 feuilles d'endive

## Pour le riz

- 60 ml (1/4 de tasse) de vin blanc
- 1 pincée de safran

## Vinaigrette

- 30 ml (2 c. à soupe) de vinaigre de vin
- 22 ml (1 1/2 c. à soupe) d'huile d'olive
- 1 pincée de sel
- Poivre au goût

## Préparation

Faites chauffer le vin blanc et le safran au micro-ondes pendant 1 minute à la puissance maximale. Ajoutez au riz en mélangeant pour colorer uniformément.

Brassez bien tous les ingrédients de la vinaigrette et ajoutez-le au riz safrané.

Faites chauffer l'huile dans une poêle et faites-y sauter le poulet, les crevettes, les pétoncles et les saucisses viennoises. Retirez du feu et laissez refroidir. Ajoutez ensuite fruits de mer et saucisses au riz et remuez délicatement.

Disposez sur 2 assiettes et garnissez avec les tomates cerises coupées en 4, les lanières de poivron, les feuilles de menthe et les feuilles d'endive coupées en julienne.

**Valeur nutritive**
*Pour 1 portion*

- calories : 618
- protéines : 27,3 g
- hydrates de carbone : 67,5 g
- matières grasses : 23,4 g
- cholestérol : 95 mg
- sodium : 1875 mg
- fibres : 2,3 g

## RECETTE 1

*Pour 2 personnes*

### Ingrédients

- 450 g (2 tasses) de riz sushi, cuit
- 1 shiitake déshydraté
- 1 bâton de carotte de 10 cm de long x 2 1/2 cm de large x 1 cm d'épaisseur (4 po x 1 po x 3/8 po)
- 2 tranches de tofu de 1,5 cm (5/8 po)
- 4 rondelles de racine de lotus marinée (voir chapitre 5 : Quelques recettes de base)
- 60 ml (1/4 de tasse) de pousses de bambou coupées en petits dés
- 15 ml (1 c. à soupe) de raisins secs, Sultana
- 15 ml (1 c. à soupe) de raisins secs, de Corinthe
- 2 fines lanières de poivron vert
- 2 fines lanières de poivron rouge
- 1 œuf cuit dur coupé en fines tranches ou en petits quartiers

### Marinade 1

- 30 ml (2 c. à soupe) de dashi (voir chapitre 5 : Quelques recettes de base)
- 30 ml (2 c. à soupe) d'eau de trempage du shiitake
- 15 ml (1 c. à soupe) de mirin
- 1 ml (3/4 c. à soupe) de shôyu
- 2,5 ml (1/2 c. à thé) de saké

### Marinade 2

- 125 ml (1/2 tasse) de dashi
- 22 ml (1 1/2 c. à soupe) de sucre
- 5 ml (1 c. à thé) de mirin
- 5 ml (1 c. à thé) de sauce soya claire
- 1 pincée de sel

## Préparation

Retirez la queue du champignon et faites tremper tête et queue dans de l'eau pendant une trentaine de minutes. Retirez le champignon (réservez le liquide de trempage) et tranchez-le en julienne.

Coupez le bâton de carotte en julienne.

À feu doux, faites chauffer les ingrédients de la marinade 1 et mettez-y les juliennes de carotte et de champignons à cuire. Cuisez jusqu'à tendreté. Égouttez.

Pendant ce temps, coupez les tranches de tofu en petits cubes.

Faites chauffer la marinade 2 jusqu'à ce que le sucre soit dissous. Ajoutez-y les cubes de tofu et cuisez à feu doux pendant une trentaine de minutes. Retirez du chaudron et laissez refroidir.

Mélangez délicatement le riz sushi, la julienne de carotte et celle de champignon, le tofu, les tranches de racine de lotus marinée et les dés de pousses de bambou.

Disposez sur 2 assiettes. Divisez les raisins, les poivrons et l'œuf en 2 et garnissez-en les assiettes.

## Valeur nutritive
*Pour 1 portion*

- calories : 442
- protéines : 14,6 g
- hydrates de carbone : 85,6 g
- matières grasses : 5,5 g
- cholestérol : 106 mg
- sodium : 1151 mg
- fibres : 4,6 g

# RECETTE 2

*Pour 2 personnes*

## Ingrédients

- 450 g (2 tasses) de riz sushi cuit
- 30 ml (2 c. à soupe) de graines de sésame grillées
- 15 ml (1 c. à soupe) de poivron vert
- 15 ml (1 c. à soupe) de poivron rouge
- 15 ml (1 c. à soupe) de poivron jaune
- 4 rondelles de concombre, avec la pelure
- 2 shiitake glacés (voir chapitre 5 : Quelques recettes de base)
- 8 rondelles d'oignon rouge
- 1 radis moyen
- 1 omelette fine (voir chapitre 5 : Quelques recettes de base)
- 5 ml (1 c. à thé) de ciboulette fraîche, hachée

## Marinade pour rondelles d'oignon

- 30 ml (2 c. à soupe) de vinaigre de riz
- 7,5 ml (1/2 c. à soupe) de sucre
- 1 goutte de saké
- 1 pincée de sel

## Préparation

Incorporez les graines de sésame au riz.

Faites tremper les rondelles d'oignon rouge dans la marinade pendant une vingtaine de minutes.

Coupez le poivron en dés et tranchez finement les champignons et le radis. Pliez l'omelette en 2 et découpez en julienne.

Mélangez délicatement le riz avec les poivrons, le concombre et les champignons. Disposez sur 2 assiettes et garnissez d'oignon mariné, de tranches de radis et d'omelette. Saupoudrez de ciboulette hachée.

**Valeur nutritive**
*Pour 1 portion*

- calories : 464
- protéines : 11,1 g
- hydrates de carbone :
  80 g
- matières grasses : 9,3 g
- cholestérol : 106 mg
- sodium : 1674 mg
- fibres : 4,7 g

# Chapitre 8

# Les nigiris-zushis végétariens

Pour confectionner ces nigiris-zushis traditionnels, mais végétariens, façonnez vos nigiris-zushis en suivant la technique de base, car la recette pour ce type de sushi est toujours la même : une boulette de riz façonnée de manière à ce que sa garniture l'épouse parfaitement, un soupçon de wasabi (raifort japonais) et un morceau de poisson, un mollusque ou un crustacé, entier ou tranché, c'est selon.

Les nigiris-zushis sont aussi toujours servis avec un petit bol de sauce soya.

## Sushis à l'avocat

*Donne 6 sushis*

### Ingrédients

- 225 g (1 tasse) de riz sushi, cuit
- 6 fines tranches d'avocat de 5 cm (2 po) de long
- 1 citron (jus)
- 18 pousses de radis de 5 cm (2 po) de long
- 6 lanières de nori d'environ 1 cm (1/2 po) de large

### Préparation

Divisez le riz et façonnez-le en 6 cylindres. Déposez sur chacun 1 fine tranche d'avocat, 3 pousses de radis et entourez d'une lanière de nori.

**Valeur nutritive**
*Pour 1 portion*

- calories : 98
- protéines : 1,4 g
- hydrates de carbone : 12,6 g
- matières grasses : 4,9 g
- cholestérol : 0 mg
- sodium : 163 mg
- fibres : 1,1 g

# Sushis au concombre et poivron rouge

*Donne 6 sushis*

## Ingrédients

- 225 g (1 tasse) de riz sushi, cuit
- 18 fines tranches de concombre japonais
  ou anglais de 5 cm (2 po) de long
- 18 très fines lanières de poivron rouge de 5 cm (2 po) de long
- 6 lanières de nori d'environ 1 cm (1/2 po) de large

## Préparation

Divisez le riz et façonnez-le en 6 cylindres. Déposez sur chacun 3 fines tranches de concombre en les faisant se chevaucher légèrement et posez sur chacun 3 fines lanières de poivron rouge, puis entourez d'une lanière de nori.

## Valeur nutritive
*Pour 1 portion*

- calories : 50
- protéines : 1 g
- hydrates de carbone : 11,4 g
- matières grasses : 0 g
- cholestérol : 0 mg
- sodium : 160 mg
- fibres : 0,5 g

# Sushis aux asperges

*Donne 6 sushis*

## Ingrédients

- 225 g (1 tasse) de riz sushi, cuit
- 18 pointes d'asperge en conserve, de 5 cm (2 po) de long
- 6 fines rondelles d'oignon rouge
- 6 lanières de nori d'environ 1 cm (1/2 po) de large

## Préparation

Divisez le riz et façonnez-le en 6 cylindres. Déposez sur chacun 3 pointes d'asperge, 1 rondelle d'oignon rouge et entourez d'une lanière de nori.

## Valeur nutritive
*Pour 1 portion*

- calories : 58
- protéines : 1,8 g
- hydrates de carbone : 12,3 g
- matières grasses : 0 g
- cholestérol : 0 mg
- sodium : 385 mg
- fibres : 0,8 g

# Sushis aux carottes

## Ingrédients

- 225 g (1 tasse) de riz sushi, cuit
- 6 tranches minces de carotte de 5 cm (2 po) de long
- 12 mini bouquets de persil avec un bout de tige
- 6 lanières de nori d'environ 1 cm (1/2 po) de large

## Préparation

Faites d'abord blanchir légèrement les tranches de carotte dans de l'eau salée. Égouttez, puis tranchez chaque tranche de carotte en fines bandes de type « julienne ».

Divisez le riz et façonnez-le en 6 cylindres. Déposez sur chacun 1 bâtonnet de carotte. Disposez-y ensuite 2 tiges de persil de façon à ce qu'il y ait un bouquet à chaque extrémité. Entourez d'une lanière de nori.

## Valeur nutritive
*Pour 1 portion*

- calories : 53
- protéines : 1 g
- hydrates de carbone : 12 g
- matières grasses : 0 g
- cholestérol : 0 mg
- sodium : 166 mg
- fibres : 0,7 g

# Sushis aux champignons

*Donne 6 sushis*

## Ingrédients

- 225 g (1 tasse) de riz sushi, cuit
- 18 fines tranches de champignon
- 45 ml (3 c. à soupe) d'échalote française finement hachée
- 6 lanières de nori d'environ 1 cm (1/2 po) de large

## Préparation

Divisez le riz et façonnez-le en 6 cylindres. Déposez sur chacun 3 tranches de champignons, entourez d'une lanière de nori et saupoudrez d'échalote française.

## Valeur nutritive
*Pour 1 portion*

- calories : 51
- protéines : 1 g
- hydrates de carbone : 34,9 g
- matières grasses : 0 g
- cholestérol : 0 mg
- sodium : 160 mg
- fibres : 0,3 g

# Sushis aux tomates

## Ingrédients

- 225 g (1 tasse) de riz sushi, cuit
- 6 tomates cerises
- 15 ml (1 c. à soupe) d'échalote verte, hachée
- 6 lanières de nori d'environ 1 cm (1/2 po) de large

## Préparation

Divisez le riz et façonnez-le en 6 cylindres. Déposez sur chacun 1 tomate cerise tranchée en 4. Entourez d'une lanière de nori et saupoudrez d'échalote verte.

## Valeur nutritive
*Pour 1 portion*

- calories : 52
- protéines : 1 g
- hydrates de carbone : 11,6 g
- matières grasses : 0 g
- cholestérol : 0 mg
- sodium : 162 mg
- fibres : 0,6 g

# Sushis et racine de lotus

## Ingrédients
### Étape 1

- 225 g (1 tasse) de riz sushi, cuit
- 7,5 ml (1/2 c. à soupe) de graines de sésame grillées

### Étape 2

- 6 fines rondelles de racine de lotus
- 6 fines tranches de carotte, d'environ 4 cm (1 1/2 po) de longueur
- 6 tiges de ciboulette
- 10 ml (2 c. à thé) de confit de prune

## Préparation

Écrasez grossièrement les graines de sésame, à l'aide d'un pilon, puis ajoutez-les au riz. Mélangez et réservez.

Découpez 6 fines tranches de carotte et faites-les blanchir dans un peu d'eau salée. Égouttez et réservez.

Découpez 6 fines rondelles de racine de lotus. Dans un chaudron, portez à ébullition 500 ml (2 tasses) d'eau additionnée de 15 ml (1 c. à soupe) de vinaigre, ajoutez le lotus, réduisez le feu et laissez mijoter pendant 3 minutes. Égouttez et réservez. Faites ramollir les tiges de ciboulette en les faisant tremper un peu dans un bol d'eau bouillante.

Divisez le riz et façonnez-le en 6 cylindres. Déposez sur chacun 1 tranche de carotte et 1 rondelle de racine de lotus. Faites tenir le tout en liant avec les tiges de ciboulette. Décorez de confit de prune.

## Valeur nutritive
*Pour 1 portion*

- calories : 69
- protéines : 1,5 g
- hydrates de carbone : 14,9 g
- matières grasses : 0,6 g
- cholestérol : 0 mg
- sodium : 166 mg
- fibres : 1,3 g

# Sushis enrobés de carotte

*Donne 6 sushis*

## Ingrédients

- 320 ml (1 1/3 de tasse) de riz sushi, cuit
- 18 fines tranches de carotte, d'environ 7,5 cm (3 po) de longueur
- 18 tranches minces d'okra

## Préparation

Découpez les tranches de carotte sur la longueur, puis faites-les blanchir dans de l'eau salée afin de les rendre suffisamment souples pour pouvoir les rouler sans les briser. Retirez du feu, égouttez et re-mettez à tremper dans de l'eau légèrement salée.

Pendant ce temps, divisez le riz et façonnez-le en six cylindres. Dans le sens du rouleau, enrobez chaque cylindre de 3 tranches de ca-rotte en les faisant se chevaucher légèrement. Décorez chaque cy-lindre avec 3 fines tranches d'okra.

**Valeur nutritive**
*Pour 1 portion*

- calories : 69
- protéines : 1,3 g
- hydrates de carbone : 15,7 g
- matières grasses : 0 g
- cholestérol : 0 mg
- sodium : 216 mg
- fibres : 0,9 g

# Sushis enrobés de concombre

## Ingrédients

- 320 ml (1 1/3 de tasse) de riz sushi, cuit
- 12 fines tranches de concombre d'environ 7,5 cm (3 po) de longueur
- 12 fines rondelles d'oignon rouge

## Préparation

Découpez les tranches de concombre sur la longueur, puis laissez tremper dans de l'eau légèrement salée.

Pendant ce temps, divisez le riz et façonnez-le en six cylindres. Dans le sens du rouleau, enrobez chaque cylindre de 2 tranches de concombre en les faisant se chevaucher légèrement. Décorez chaque cylindre avec 2 fines tranches d'oignon rouge.

**Valeur nutritive**
*Pour 1 portion*

- calories : 65
- protéines : 1,1 g
- hydrates de carbone : 14,6 g
- matières grasses : 0 g
- cholestérol : 0 mg
- sodium : 211 mg
- fibres : 0,5 g

# Sushis enrobés de daïkon

*Donne 6 sushis*

## Ingrédients

- 320 ml (1 1/3 de tasse) de riz sushi, cuit
- 6 fines tranches de daïkon d'environ 7,5 cm (3 po) de longueur
- 6 fines rondelles de radis

## Préparation

Découpez les tranches de daïkon sur la longueur, puis faites-les blanchir dans de l'eau salée afin de les rendre suffisamment souples pour pouvoir les rouler sans les briser. Retirez du feu, égouttez et remettez à tremper dans de l'eau légèrement salée.

Pendant ce temps, divisez le riz et façonnez-le en 3 cylindres. Dans le sens du rouleau, enrobez chaque cylindre d'une tranche de daïkon. Décorez chaque cylindre avec 2 fines tranches de radis et quelques pousses de daïkon.

## Valeur nutritive
*Pour 1 portion*

- calories : 63
- protéines : 1,1 g
- hydrates de carbone : 14,3 g
- matières grasses : 0 g
- cholestérol : 0 mg
- sodium : 213 mg
- fibres : 0,5 g

# Chapitre 9

# Recettes variées

## Canapés-sushis de fruits

Les canapés-sushis de fruits constituent une délicieuse alternative aux sushis traditionnels, car aussi étonnant que cela puisse paraître les combinaisons riz/fruits sont des combinaisons heureuses, aussi agréables à l'œil qu'aux papilles gustatives.

### Recette de base

La recette de base est simple comme tout! Il suffit de façonner un petit monticule de riz, de le déposer sur une tranche de fruit et de décorer le sushi avec des morceaux de fruits. Je vous offre ici quelques combinaisons, mais, comme vous vous en doutez très certainement, vous n'avez qu'à laisser libre cours à votre imagination pour confectionner des plateaux de canapés attrayants et délicieusement colorés.

# Sushis-ananas

## Ingrédients

- 112,5 g (1/2 tasse) de riz sushi, cuit
- 4 tranches d'ananas
- 5 ml (1 c. à thé) de petits morceaux de kiwi
- 10 ml (2 c. à thé) de petits morceaux de pomme
- 1 citron (jus)
- 5 ml (1 c. à thé) de ciboulette hachée

## Préparation

Découpez 4 tranches d'ananas.

Façonnez 4 petites boules de riz et posez-les sur les tranches d'ananas.

Décorez chaque sushi avec des morceaux de kiwi et des morceaux de pomme préalablement arrosés de jus de citron. Saupoudrez de ciboulette hachée.

**Valeur nutritive**
*Pour 1 portion*

- calories : 41
- protéines : 0,6 g
- hydrates de carbone : 8,7 g
- matières grasses : 0 g
- cholestérol : 0 mg
- sodium : 119 mg
- fibres : 0,4 g

# Sushis-kiwi

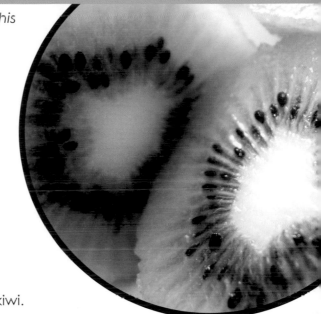

*Donne 4 sushis*

## Ingrédients

- 112,5 g (1/2 tasse) de riz sushi, cuit
- 4 tranches moyennes de kiwi d'environ 5 cm (2 po) de diamètre
- 12 raisins Sultana
- 10 ml (2 c. à thé) de petits morceaux de cantaloup

## Préparation

Découpez 4 tranches de kiwi.

Façonnez 4 petites boules de riz et posez-les sur les tranches de kiwi.

Décorez chaque tranche avec 3 raisins Sultana et de 2,5 ml (1/2 c. à thé) de morceaux de cantaloup.

## Valeur nutritive
*Pour 1 portion*

- calories : 46
- protéines : 0,7 g
- hydrates de carbone : 10,7 g
- matières grasses : 0 g
- cholestérol : 0 mg
- sodium : 120 mg
- fibres : 0,2 g

# Sushis-mangue

*Donne 4 sushis*

### Ingrédients

- 112,5 g (1/2 tasse) de riz sushi, cuit
- 4 rondelles de mangue
- 4 tranches fines de radis
- 10 ml (2 c. à thé) de petits morceaux de kiwi
- 4 petites touffes de persil

### Préparation

Découpez 4 rondelles de mangue.

Façonnez 4 petites boules de riz et posez-les sur les rondelles.

Décorez avec des tranches de radis, de kiwi et de persil.

**Valeur nutritive**
*Pour 1 portion*

- calories : 43
- protéines : 0,7 g
- hydrates de carbone : 9,8 g
- matières grasses : 0 g
- cholestérol : 0 mg
- sodium : 120 mg
- fibres : 0,4 g

# Sushis-orange

## Ingrédients

- 112,5 g (1/2 tasse) de riz sushi, cuit
- 4 tranches d'orange sans pépin d'environ 5 cm (2 po) de diamètre
- 16 raisins de Corinthe
- 2 cerises au marasquin, vertes

## Préparation

Découpez 4 tranches d'orange.

Façonnez 4 petites boules de riz et posez-les sur les tranches d'orange.

Décorez chaque tranche avec 4 raisins de Corinthe et 1 demi-cerise.

### Valeur nutritive
*Pour 1 portion*

- calories : 46
- protéines : 0,7 g
- hydrates de carbone : 10,8 g
- matières grasses : 0 g
- cholestérol : 0 mg
- sodium : 119 mg
- fibres : 0,6 g

# Sushis-papaye

## Ingrédients

- 112,5 g (1/2 tasse) de riz sushi, cuit
- 4 tranches de papaye
- 2 quartiers de mandarine coupés en 2
- 2 cerises au marasquin, rouges

## Préparation

Découpez 4 tranches de papaye.

Façonnez 4 petites boules de riz et posez-les sur les morceaux de papaye.

Décorez chaque sushi avec des quartiers de mandarine et des cerises au marasquin coupées en 2.

**Valeur nutritive**
*Pour 1 portion*

- calories : 42
- protéines : 0,6 g
- hydrates de carbone : 9,6 g
- matières grasses : 0 g
- cholestérol : 0 mg
- sodium : 119 mg
- fibres : 0,4 g

# Sushis-pomme

*Donne 4 sushis*

## Ingrédients

- 112,5 g (1/2 tasse) de riz sushi, cuit
- 4 tranches moyennes de pomme d'environ 5 cm (2 po) de diamètre
- 1 citron (jus)
- 2 raisins verts
- 2 cerises au marasquin, rouges

## Préparation

Découpez 4 tranches de pomme, puis arrosez-les légèrement de jus de citron pour les empêcher de s'oxyder.

Façonnez 4 petites boules de riz et posez-les sur les tranches de pomme.

Décorez avec des raisins verts et des cerises au marasquin coupées en 2.

## Valeur nutritive
*Pour 1 portion*

- calories : 42
- protéines : 0,6 g
- hydrates de carbone : 9,7 g
- matières grasses : 0 g
- cholestérol : 0 mg
- sodium : 119 mg
- fibres : 0, 5 g

# Canapés à l'emporte-pièce

À l'aide d'emporte-pièce à biscuits ou autres petits moules de formes diverses, façonnez des cœurs, des ovales, des trèfles, des piques, des losanges ou autre avec le riz, puis garnissez ces formes tel qu'indiqué ci-dessous ou encore inventez vos propres préparations.

NOTE : La garniture principale, celle qui épouse le riz, doit être découpée de la même forme que celui-ci.

## À l'oursin

*Pour 6 canapés*

### Ingrédients

- 225 g (1 tasse) de riz sushi cuit
- 6 fines tranches de concombre
- 90 ml (6 c. à soupe) d'oursin
- 2 fines tranches de citron chacune coupée en 3
- 15 ml (1 c. à soupe) de ciboulette

**Valeur nutritive**
*Pour 1 portion*

- calories : 48
- protéines : 0,9 g
- hydrates de carbone : 11,2 g
- matières grasses : 0 g
- cholestérol : 0 mg
- sodium : 159 mg
- fibres : 0,4 g

NOTE : La valeur nutritive de cette recette a été calculée sans la valeur de l'oursin puisque celle-ci n'est pas disponible.

# Au Fromage

## Ingrédients

- 225 g (1 tasse) de riz sushi cuit
- 6 fines tranches de fromage brie
- 1 cornichon à l'aneth coupé en 6
- 30 ml (2 c. à soupe) d'œufs de saumon

## Valeur nutritive
*Pour 1 portion*

- calories : 90
- protéines : 3,7 g
- hydrates de carbone : 10,4 g
- matières grasses : 3,1 g
- cholestérol : 25 mg
- sodium : 431 mg
- fibres : 0,3 g

# Au jambon

*Pour 6 canapés*

## Ingrédients

- 225 g (1 tasse) de riz sushi cuit
- 6 morceaux de jambon cuit, tranché mince
- 3 tranches d'ananas en conserve, chacune divisée
  en 8 morceaux
- 15 ml (1 c. à soupe) de ciboulette fraîche, hachée.

## Valeur nutritive
*Pour 1 portion*

- calories : 72
- protéines : 2,4 g
- hydrates de carbone : 14,9 g
- matières grasses : 0,2 g
- cholestérol : 4 mg
- sodium : 259 mg
- fibres : 0,6 g

*Pour 6 canapés*

## Ingrédients

- 225 g (1 tasse) de riz sushi cuit
- 1 omelette fine découpée selon la forme du riz
  (voir chapitre 5 : Quelques recettes de base)
- 6 fines tranches de maquereau mariné
- 6 fines tranches de concombre
- 30 ml (2 c. à soupe) d'œufs d'oursin
- 6 petits bouquets de persil

### Valeur nutritive
*Pour 1 portion*

- calories : 79
- protéines : 3,7 g
- hydrates de carbone : 11,3 g
- matières grasses : 2,1 g
- cholestérol : 42 mg
- sodium : 223 mg
- fibres : 0,3 g

NOTE : La valeur nutritive de cette recette a été calculée sans la valeur des œufs d'oursin puisque celle-ci n'est pas disponible.

## Au poulpe

*Pour 6 canapés*

### Ingrédients

- 225 g (1 tasse) de riz sushi cuit
- 6 fines tranches de concombre
- 6 fines tranches de poulpe
- 2 tomates cerises coupées chacune en 3 tranches
- 10 ml (2 c. à thé) d'échalote verte

### Valeur nutritive
*Pour 1 portion*

- calories : 56
- protéines : 2,3 g
- hydrates de carbone : 11,1 g
- matières grasses : 0,1 g
- cholestérol : 5 mg
- sodium : 160 mg
- fibres : 0,4 g

## Au salami

*Pour 6 canapés*

### Ingrédients

- 225 g (1 tasse) de riz sushi cuit
- 6 fines tranches de salami au bœuf
- 6 rondelles de lotus mariné
  (voir chapitre 5 : Quelques recettes de base)
- 18 petits dés de poivron vert ou jaune

### Valeur nutritive
*Pour 1 portion*

- calories : 92
- protéines : 2,8 g
- hydrates de carbone : 17,6 g
- matières grasses : 1,5 g
- cholestérol : 4 mg
- sodium : 316 mg
- fibres : 1,0 g

# Au saumon fumé

*Pour 6 canapés*

## Ingrédients

- 225 g (1 tasse) de riz sushi cuit
- 6 fines tranches de saumon fumé
- 6 fines tranches de cheddar moyen
- 15 ml (1 c. à soupe) de nori grillée, émiettée

**Valeur nutritive**
*Pour 1 portion*

- calories : 90
- protéines : 4,2 g
- hydrates de carbone : 10,8 g
- matières grasses : 3 g
- cholestérol : 10 mg
- sodium : 277 mg
- fibres : 0,3 g

# Aux crevettes

*Pour 6 canapés*

## Ingrédients

- 225 g (1 tasse) de riz sushi cuit
- 6 fines tranches d'avocat, légèrement arrosées d'un peu de jus de citron
- 6 crevettes cuites
- 6 petits bouquets de persil

**Valeur nutritive**
*Pour 1 portion*

- calories : 68
- protéines : 2,5 g
- hydrates de carbone : 11,2 g
- matières grasses : 1,7 g
- cholestérol : 11 mg
- sodium : 173 mg
- fibres : 0,6 g

*Pour 6 canapés*

## Ingrédients

- 225 g (1 tasse) de riz sushi cuit
- 1 œuf cuit dur, coupé en 6 tranches
- 6 fines lanières de poivron rouge
- 18 pousses de pois mange-tout.

## Valeur nutritive
*Pour 1 portion*

- calories : 62
- protéines : 2,1 g
- hydrates de carbone : 11,5 g
- matières grasses : 0,9 g
- cholestérol : 35 mg
- sodium : 170 mg
- fibres : 0,4 g

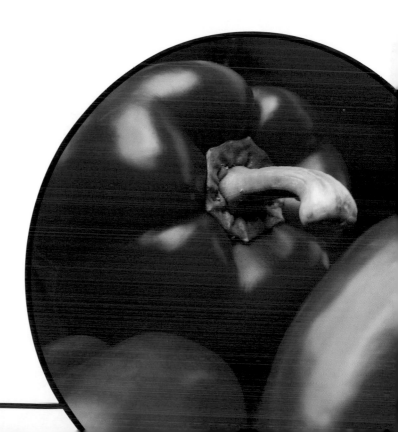

# marinades à sushi

pour poissons, crustacés,
fruits de mer et légumes

Les recettes de marinades de ce chapitre peuvent être utilisées selon la saveur de base de l'aliment à mariner, mais aussi selon la saveur particulière que vous désirez lui donner.

## Marinade à la bière

### Ingrédients

- 180 ml (3/4 de tasse) de bière forte
- 60 ml (1/4 de tasse) de vinaigre de riz
- 15 ml (1 c. à soupe) de sucre
- 1 pincée de sel

### Préparation

Faites chauffer le vinaigre avec le sucre et le sel jusqu'à ce que ceux-ci soient bien dissous. Ajoutez la bière, puis faites frémir. Retirez du feu et laissez refroidir avant d'y mettre les aliments à mariner.

### Valeur nutritive

- calories : 119
- protéines : 0,4 g
- hydrates de carbone : 18,6 g
- matières grasses : 0 g
- cholestérol : 0 mg
- sodium : 600 mg
- fibres : 0 g

# Marinade au jus de citron

## Ingrédients

- 250 ml (1 tasse) de jus de citron
- 10 ml (2 c. à thé) de miel de trèfle
- 1 pincée de sel
- 1 gousse d'ail hachée

## Préparation

Faites chauffer le jus de citron et faites-y dissoudre le miel et le sel. Ajoutez ensuite l'ail. Retirez du feu et laissez refroidir avant d'y mettre les aliments à mariner.

NOTE: Cette marinade ne convient pas aux légumes

## Valeur nutritive

- calories : 108
- protéines : 1,8 g
- hydrates de carbone : 33,1 g
- matières grasses : 0 g
- cholestérol : 0 mg
- sodium : 591 mg
- fibres : 1,7 g

# Marinade au saké

## Ingrédients

- 60 ml (1/4 de tasse) de saké
- 180 ml (3/4 de tasse) de vinaigre de riz
- 45 ml (3 c. à soupe) de sucre
- 1 pincée de sel
- 60 ml (1/4 de tasse) de pétales de rose
- 1 pincée de gingembre en poudre

## Préparation

Faites chauffer le vinaigre avec le sucre et le sel jusqu'à ce que ceux-ci soient bien dissous. Ajoutez ensuite le gingembre, les pétales de rose et le saké. Retirez aussitôt du feu et laissez refroidir avant d'y mettre les aliments à mariner.

## Valeur nutritive

- calories : 221
- protéines : 0 g
- hydrates de carbone : 40,9 g
- matières grasses : 0 g
- cholestérol : 0 mg
- sodium : 592 mg
- fibres : 0 g

## Ingrédients
- 60 ml (1/4 de tasse) de sauce soya
- 60 ml (1/4 de tasse) de o-cha (thé japonais)
- 60 ml (1/4 de tasse) de miso (blanc)
- 60 ml (1/4 de tasse) de vinaigre de riz
- 5 ml (1 c. à thé) de nori hachée

## Préparation

Faites chauffer le tout jusqu'à frémissement. Retirez du feu et laissez refroidir avant d'y mettre les aliments à mariner.

## Valeur nutritive

- calories : 68
- protéines : 12,6 g
- hydrates de carbone : 0,6 g
- matières grasses : 0,6 g
- cholestérol : 0 mg
- sodium : 3703 mg
- fibres : 0,2 g

# Marinade au vinaigre de riz

## Ingrédients

- 250 ml (1 tasse)
  de vinaigre de riz
- 45 ml (3 c. à soupe)
  de sucre
- 1 pincée de sel

## Préparation

Faites chauffez le tout jusqu'à
ce que le sucre et le sel soient
entièrement dissous. Retirez du
feu et laissez refroidir avant d'y
mettre les aliments à mariner.

## Valeur nutritive

- calories : 138
- protéines : 0 g
- hydrates de carbone : 36 g
- matières grasses : 0 g
- cholestérol : 0 mg
- sodium : 590 mg
- fibres : 0 g

# Marinade au vin blanc

## Ingrédients

- 125 ml (1/2 tasse) de vin blanc sec
- 125 ml (1/2 tasse) de vinaigre de riz
- 30 ml (2 c. à sucre) de sucre
- 1 pincée de sel
- 5 ml (1 c. à thé) d'origan frais, haché

## Préparation

Faites chauffer le vinaigre et le vin et faites-y dissoudre le sucre et le sel. Ajoutez l'origan, retirez du feu et laissez refroidir avant d'y mettre les aliments à mariner.

## Valeur nutritive

- calories : 195
- protéines : 0,1 g
- hydrates de carbone : 29,3 g
- matières grasses : 0 g
- cholestérol : 0 mg
- sodium : 594 mg
- fibres : 0, 1g

# Marinade au whisky

## Ingrédients

- 60 ml (1/4 de tasse) de whisky
- 180 ml (3/4 de tasse) de vinaigre de riz
- 45 ml (3 c. à soupe) de sucre
- 1 pincée de sel
- 1 pincée de graines de sésame
- 1 pincée de graines de coriandre

## Préparation

Faites chauffer le vinaigre avec le sucre et le sel jusqu'à ce que ceux-ci soient bien dissous. Ajoutez le sésame et la coriandre et chauffez encore 1 minute. Retirez du feu, ajoutez le whisky et laissez refroidir avant d'y mettre les aliments à mariner.

## Valeur nutritive

- calories : 276
- protéines : 0,3 g
- hydrates de carbone : 36,5 g
- matières grasses : 0,7 g
- cholestérol : 0 mg
- sodium : 590 mg
- fibres : 0,3 g

# Marinade aux agrumes

## Ingrédients

- 60 ml (1/4 de tasse) de jus d'orange
- 60 ml (1/4 de tasse) de jus de pamplemousse
- 60 ml (1/4 de tasse) de jus de lime
- 60 ml (1/4 de tasse) de jus de vinaigre de riz
- 60 ml (1/4 de tasse) de sucre

## Préparation

Faites chauffer tous les ingrédients jusqu'à ce que le sucre soit dissous. Retirez du feu et laissez refroidir avant d'y mettre les aliments à mariner.

## Valeur nutritive

- calories : 254
- protéines : 1,1 g
- hydrates de carbone : 64,9 g
- matières grasses : 0,1 g
- cholestérol : 0 mg
- sodium : 9,3 mg
- fibres : 0,3 g

# Comment servir
## et manger les sushis

## Le service

Au Japon, on sert d'abord le sashimi en entrée, puis les sushis comme repas principal, et parfois une omelette sucrée en guise de dessert.

Le sashimi — mot qui signifie *cru* en japonais — constitue par ailleurs l'un des mets les plus appréciés des Japonais. Il consiste en un arrangement aussi raffiné qu'élégant de plusieurs sortes de poissons et mollusques crus, et de la plus extrême fraîcheur. Cet assortiment de poissons est servi sans riz ni algue et seul un chef qui connaît parfaitement le découpage du poisson peut se targuer de savoir préparer un sashimi, car toute la richesse de ce mets en dépend. Quant aux sushis, il est toujours préférable de servir ceux enrobés de nori avant les autres, car la nori ramollit rapidement et n'est plus aussi délectable.

## Recevoir avec des sushis

Si vous désirez vous rapprocher au maximum de la culture japonaise, vous devez tenter de vous imprégner de certaines traditions orientales. Et sur le plan culinaire, par exemple, la tradition veut que ce que l'on présente soit aussi beau que bon puisque tout, en cuisine, doit être visuellement appétissant.

### Dans les bars à sushis

Il est préférable de commander les sushis 1 à 1 (ou par paire), à la carte.

### Quand vous recevez

Vous pouvez servir les sushis en portions individuelles, ou alors les offrir sur des plateaux. Mais attention! Que vous choisissiez la portion individuelle ou le plateau, ceux-ci ne doivent jamais être surchargés. Par ailleurs, couleurs, textures et formes doivent s'harmoniser pour créer un effet d'équilibre à tous les niveaux.

NOTE: Mettez un soupçon de wasabi sur le rebord des assiettes de vos invités.

# Les baguettes ou les doigts?

### Dans les bars à sushis

Bien sûr, les véritables inconditionnels des sushis ont appris depuis longtemps à se servir des baguettes et, pour les Japonais, la question ne se pose même pas! Mais si vous êtes un profane, ne craignez pas de manquer aux bonnes manières en mangeant avec vos doigts, et ce, même si vous êtes en compagnie d'un Japonais. Cela ne choquera pas.

### Quand vous recevez

Si vous faites usage de baguettes, vous devez suivre un certain protocole.

Tout d'abord, vous devez disposer d'un porte-baguettes pour chaque convive; c'est sur celui-ci que seront déposées les baguettes avant le repas et déposées également entre les services et à la fin du repas. Laisser traîner ses baguettes dans son bol ou sur son assiette est un manque flagrant de savoir-vivre. Pour l'anecdote, sachez aussi que si vous prenez votre repas en compagnie de Japonais, assurez-vous que les baguettes, sur leur support, pointent vers la gauche puisque le contraire est présage de malheur.

NOTE: Ne vous trompez pas de baguettes:
les baguettes japonaises sont à bouts pointus,
tandis que les baguettes chinoises sont à bouts ronds.

## Les accompagnements

Les sushis sont toujours servis avec de la sauce soya. C'est le convive qui s'occupe d'en verser une petite quantité dans la soucoupe (vide) mise à sa disposition — si vous êtes l'invité, n'en versez qu'un tout petit peu à la fois. Prenez ensuite votre sushi avec vos baguettes (ou vos doigts) et trempez-le légèrement dans la sauce, du côté de la garniture.

Si vous aimez le goût piquant du wasabi, diluez celui qui se trouve sur le rebord de votre assiette, dans la sauce soya.

Attention aux bouchées de sushis que vous prenez puisqu'il faut éviter, bien sûr, de le décomposer.

Quand vous recevez, ne manquez pas de mettre du gingembre mariné à la disposition de vos invités. À propos des boissons, vous devez toujours avoir du thé vert bien chaud et du saké pour satisfaire vos convives.

Avant de commencer à manger, il convient de dire: *itadakimasu*, qui signifie *je reçois humblement* et qui est d'usage pour souhaiter un bon appétit. Lorsque le repas est terminé, vous pourrez dire à vos convives, à celui qui vous a reçu: *arigato*, ce qui signifie merci.

# Les boissons: le saké et le thé

## Le saké

Le mot saké (originalement sans accent) signifie simplement *alcool* en japonais. Bien qu'il ne soit pas vraiment un vin, puisqu'il est tiré d'un grain et non pas d'un fruit, on le décrit quand même toujours comme un vin de riz. Soulignons par ailleurs que la méthode de fermentation utilisée pour le saké s'apparente davantage à celle de la bière qu'à celle du vin.

Cela dit, boisson traditionnelle du Japon, la plus ancienne et la plus consommée, le saké est servi tantôt comme apéritif, tantôt comme *vin* de table, car il accompagne parfaitement bien tous les mets japonais, et en particulier le poisson.

Il existe deux types de saké, soient le saké sec et le saké sucré dont la saveur rappelle celle du sherry. Le saké est offert sous trois appellations — classe spéciale, première classe et seconde classe —, celles-ci servant à différencier le saké selon sa teneur en alcool, laquelle varie habituellement de 16 à 19 degrés comparativement à 11 ou 12 degrés pour un vin de table ordinaire.

Le saké peut se boire, au goût, chaud, tiède, froid ou glacé. Il est d'abord versé dans une petite bouteille de porcelaine fine, que l'on appelle tokkuri, puis servi ensuite, en très petite quantité, dans de minuscules gobelets, coupes ou tasses de porcelaine, les sakazukis.

Lorsque nécessaire, vous pouvez réchauffer le saké au bain-marie ou encore au micro-ondes — la température recommandée, pour le saké sec, se situe entre 42 et 45° C (108 et 113° F), tandis que pour le saké sucré elle se situe entre 45 et 50° C (113 et 122° F).

Les gobelets de saké se remplissent à ras bord et se boivent d'une seule gorgée et, à moins d'être seul, on ne doit jamais remplir soi-même son gobelet. Si vous êtes deux, chacun remplit le verre de l'autre ; en groupe, chacun remplit le verre de son voisin de droite.

En plus d'être une boisson fort populaire, le saké est également un assaisonnement fort utilisé en cuisine japonaise ; ainsi, il aromatise les bouillons et les soupes, tout comme il élimine le « trop-salé » des mets et leur teneur en acidité. Il s'agit en fait d'un *ingrédient* de choix pour attendrir les viandes. On l'utilise, en outre, dans les marinades et pour la macération de divers aliments.

Le thé, le o-cha, est une boisson de très grande importance au Japon, si grande, en fait, qu'il est servi gratuitement et à volonté, dans tous les restaurants.

Il existe bien entendu de nombreuses variétés et qualités de thé; par exemple, on nomme bancha le thé commun, gyokuro un thé haut de gamme et matcha la poudre de thé vert destinée à concocter un thé de cérémonie, très amer, mais dégusté suivant un rituel précis.

Si vous recevez avec des sushis, vos invités ne doivent jamais manquer de thé, et cela, du moment où ils passent à table jusqu'à la fin du repas. La raison en est simple, servi bien chaud le thé aide à clarifier la bouche et prépare le palais pour les sushis suivants. Le thé doit être disponible — et les tasses pleines —, même si vous servez du saké (du vin blanc ou de la bière, aussi acceptables, mais moins souhaités). Certaines personnes, d'ailleurs, ne consomment que du thé lorsqu'ils mangent des sushis.

# Glossaire

**Aburage :** tofu frit.

**Agari :** Le mot « agari » signifie « complété » ; il désigne la personne qui a terminé son repas. Initialement, il était employé pour désigner la grande tasse utilisée pour boire le thé, mais aujourd'hui il qualifie également cette boisson.

**Akagai :** arche (clam).

**Ama-ebi :** crevette crue.

**Aoyagi :** vénus (clam).

**Asatsuki :** variété d'oignon vert utilisé pour garnir les sushis.

**Awabi :** ormeau.

**Bancha :** thé commun.

**Chirashi-zushi :** sushi « éparpillé » ou « dispersé ».

**Daïkon :** radis japonais.

**Dashi :** bouillon clair (« tout usage ») aromatisé de bonite et de kombu.

**Ebi :** crevette cuite.

**Futomaki :** gros rouleau (maki-zushi).

**Gari :** gingembre mariné.

**Geso (gesû) :** tentacules de poulpe.

**Gohan :** riz cuit et repas.

**Goma :** graines de sésame.

**Gunkan-maki :** sushi dil « cuirassé ».

**Gyokuro :** thé haut de gamme.

**Hangiri :** plat peu profond pour mélanger le riz et le vinaigre sucré.

**Hirame :** flétan.

**Hosomaki :** petit rouleau (maki-zushi).

**Hotate-gai :** coquille Saint-Jacques.

**Ika :** calmar.

**Kabo cha :** citrouille.

**Kampyo :** gourde (courge calebasse) séchée et découpée en rubans.

**Kani :** crabe.

**Kappa :** concombre japonais.

**Katsuo :** bonite.

**Katsuo-bushi :** flocons de bonite séchée.

**Kombu :** variété d'algues qui entrent, notamment, dans la confection du sushi-zu et du dashi.

**Kome :** riz cru.

**Maguro :** thon.

**Makisu :** natte de bambou pour rouler les makis-zushis.

**Maki-zushi :** sushi roulé (rouleau).

**Manaita :** planche à découper.

**Matcha :** poudre vert foncé pour confectionner un thé très amer qui est servi, suivant un rituel précis, lors de cérémonies

**Mirin**: vin de riz doux et sucré.

**Mitsuba**: persil japonais qui ressemble au persil italien.

**Muki-goma**: graines de sésame décortiquées.

**Murasaki**: autre nom pour le shôyu (sauce soya).

**Naganegi**: poireau.

**Negi**: oignon japonais.

**Nigiri-zushi**: sushi pressé dans les mains.

**Ninjin**: carotte.

**Nori**: algue vendue en feuilles très minces.

**Norimaki**: autre nom du témaki (sushi en cornet).

**Oboro**: préparation de poisson blanc.

**O-cha**: thé vert.

**Saba**: maquereau.

**Saibashi**: baguettes pour cuisiner.

**Sakazuki**: petits gobelets de porcelaine pour boire le saké.

**Saké 1**: alcool de riz.

**Saké 2**: saumon.

**Sansho**: poivre japonais.

**Shamoji**: spatule en bambou utilisée pour mélanger le riz et le vinaigre à sushi.

**Shiitake**: variété japonaise de champignons noirs, séchés.

**Shiro-goma** : graines de sésame non décortiquées.

**Shiso** : variété de menthe japonaise.

**Shôga** : gingembre.

**Shôyu** : sauce soya japonaise.

**Su** : vinaigre de riz.

**Sushi-zu** : vinaigre sucré pour confectionner le riz sushi.

**Takenoko** : pousse de bambou.

**Tako** : poulpe.

**Tamago** : omelette sucrée.

**Témaki** : sushi en cornet.

**Tokkuri** : petite bouteille.

**Torigai** : coque (clam).

**Toro** : thon gras.

**Umeboshi** : prunes marinées.

**Unagi** : anguille.

**Uni** : oursin.

**Wasabi** : raifort japonais ou moutarde japonaise.

**Zaru** : passoire traditionnellement en bambou, mais qui peut être également en plastique, en émail ou en métal. Un outil tout à fait indispensable.